D1167309

La population mondiale

Jean-Marie Poursin

La population mondiale

Éditions du Seuil

ISBN 2-02-004397-1

1

Le monde fini

L'avenir démographique de notre planète est un morceau de choix pour les esprits catastrophiques : on lui consacre souvent des développements proprement apocalyptiques qu'il est hors de notre propos d'enrichir [1]. Si le pire n'est pas toujours sûr, du moins doit-il être envisagé pour être combattu et nous nous trouvons justement à l'une de ces époques charnières où notre futur en balance mérite d'être pensé pour être commandé. En ce sens les perspectives de croissance de la population mondiale doivent légitimement retenir la réflexion et peuvent à bon droit inquiéter. La rapidité de notre développement démographique, son ampleur sont bien connues du public. Plus confusément on est conscient que l'homme est en train de terminer la conquête du domaine qui lui a été, depuis son origine, imparti. Nous marchons à un rythme accéléré vers une densité de population égale à celle de la Hollande actuelle sur l'ensemble des terres habitables. Cette densité, que l'on peut considérer aujourd'hui comme un maximum, sera atteinte en un laps

1. Cet ouvrage est la réédition, profondément remaniée et mise à jour, du titre paru dans la collection « Société », éd. du Seuil, 1971.

d'années de peu supérieur à celui qui nous sépare de la découverte de l'Amérique. Sous cet aspect, nous approchons de la fin d'une période, d'une limite, définie inexorablement par l'espace ouvert à notre expansion. C'est son côté réellement explosif, par la brièveté et l'intensité, qui conduit à évoquer le moment prochain où ce raz de marée devra s'atténuer, ou l'espèce compromettre son existence en tant que telle.

Au-delà de l'angoisse que peut à bon droit provoquer l'évocation de ce terme, la croissance démographique met en cause l'accession de plus de deux tiers de l'humanité au genre et au niveau de vie dont bénéficie une minorité privilégiée. Cet aveugle blocage est sans doute dans l'immédiat un motif de réflexion non moins fécond que le précédent par les multiples implications qu'il entraîne.

A cette double interrogation s'opposent les immenses possibilités de la science et de la technique, l'arsenal des moyens inventés par l'homme, dont il dispose au moins théoriquement et qui permettraient aussi valablement, mais aussi incomplètement, la description d'un nouvel âge d'or universel. La puissance de transformation, la domination sur la nature que représente cette création proprement humaine sont en effet telles que notre futur ne peut être considéré comme un destin. Rien n'est écrit et il nous appartient de répondre aux besoins qu'entraîne la multiplication du nombre par l'accroissement de ressources tirées de notre esprit. Dans les prochaines décennies cet effort doit s'accélérer encore, s'appliquer surtout autant à l'homme lui-même, à son cadre familial et social, qu'à son environnement. Cette issue existe et sous cet angle il n'y a pas d'autre fatalité à notre éventuelle disparition, par voie atomique ou démographique, que celle que nous créons nous-mêmes.

La maîtrise consciente et raisonnée par l'homme des deux variables population/ressources et de leur course est envisageable, c'est l'un des buts que l'humanité doit se fixer. De fait le processus est engagé depuis des siècles et le temps représente ici l'obstacle le plus considérable.

C'est pourquoi le monde fini que préfigure l'explosion démographique est une notion que l'on peut considérer comme relative. Le drame qu'elle exprime n'existe en effet que dans le cadre d'un dilemme dont nous pouvons — à plus ou moins longue échéance — contrôler les termes. Encore convient-il de préciser davantage et la notion et les termes eux-mêmes par un examen plus approfondi de la situation démographique présente.

Une photo de famille mondiale

La première démarche à ce stade est purement photographique : une description globale immédiate, un flash mondial qui nous permettra d'apprécier les données les plus fondamentales.

Tout d'abord un chiffre brut, celui de la totalité des êtres humains vivant en 1973 : 3 860 000 000. La précision mathématique est ici toute apparente et nous verrons combien les indications numériques fournies par les statistiques diverses dont nous disposons sont sujettes à caution. Quoi qu'il en soit, ce chiffre en lui-même ne nous apprend pas grand-chose et, tout en continuant à nous limiter au temps présent, il est nécessaire d'analyser plus précisément notre photo de famille.

Si l'on considère le rapport entre le nombre des hommes suivant leur implantation actuelle et l'ensemble des terres émergées, une première constatation s'impose : l'extrême inégalité de la répartition de la population sur la surface terrestre. Non seulement les deux tiers de l'humanité sont concentrés sur un septième seulement de notre domaine, mais encore les onze douzièmes de la population mondiale sont groupés dans l'hémisphère Nord; cette prépondérance s'affirme massivement en Eurasie (93 %) et reste encore sensible en Amérique (72 %). Plusieurs raisons rendent compte de cet état de fait. En premier lieu la surface des terres émergées est plus importante dans l'hémisphère Nord que dans l'hémisphère Sud. Le facteur climatique apparaît cependant primordial : la grande masse de l'humanité vit entre le 60e et le 20e degré de latitude Nord correspondant à peu près à la zone de climat tempéré.

Compte tenu de ce fait, comment se répartit la population par continent?

A elle seule l'Asie contient plus de la moitié de la population mondiale (56 %). L'Eurasie les trois quarts (86 %) et le Nouveau Monde seulement 14 %.

La densité de population théorique (rapport entre nombre d'hommes et kilomètres carrés) est de 24 habitants au km² pour l'ensemble du monde. Les écarts là aussi sont considérables : 2 habitants au km² en Océanie, mais 89 en Europe (l'URSS exclue : 10 habitants au km²), 67 en Asie ; l'Afrique 9 et l'Amérique 10 sont donc relativement peu peuplées.

POPULATION DES DIFFÉRENTS CONTINENTS EN 1973

évaluation en millions

Afrique	374
Asie	2 204
Amérique	541
Europe	472
URSS	250
Océanie	21

Mais quelles valeurs, indicative et descriptive, peuvent avoir ces chiffres ? La notion de densité, si longtemps mise en avant dans les discussions entre démographes, semble n'avoir qu'une portée limitée. La signification réelle de ces chiffres, leur interprétation est très aléatoire. La densité est un instrument grossier car réducteur : elle confère une apparente homogénéité à des structures complexes et dissimule en cela même la réalité qu'elle est censée représenter.

La densité qui est très dissemblable de continent à continent l'est encore bien davantage à des échelons territoriaux plus réduits. En général les petits États et les ensembles insulaires — milieux par définition fermés et par conséquent homogènes — ont une densité de population particulièrement élevée : ceci est vrai pour les archipels japonais (258), britanniques (218), pour les Pays-Bas (354) et la Belgique (302). Au contraire, la Chine mise à part, les États les plus vastes du monde ont une densité réduite : USA (20), URSS (10), Canada (2), Australie (1,4).

Cependant les mailles de ce filet sont trop lâches pour permettre une prise authentique. Si les chiffres cités semblent commodes pour une première approche, un examen plus approfondi permet d'en apprécier le bien-fondé. C'est ainsi que Java est de loin l'île la plus peuplée : 426 habitants au km², mais elle est située dans l'archipel indonésien qui ne comporte qu'une densité moyenne de 66 avec l'île de Bornéo — la plus grande — dont la densité est presque nulle. De plus, à l'intérieur d'un cadre politique unique mais de très vaste surface, les conditions naturelles sont si variées que la densité moyenne n'a plus grand sens. La Chine compte 75 habitants au km²; mais quel contraste entre les 500 habitants au km² du delta du Yang-tsé-kiang et l'unique habitant au km² du Tibet! De même l'URSS, à cheval sur deux continents avec une moyenne de 10 habitants au km², se rapproche dans sa partie européenne des données propres à ce continent avec 28,6 alors que la densité n'est que de 2,8 dans la partie asiatique. Enfin quelle conclusion tirer de la densité globale de l'Égypte (27 habitants au km²)? La bande du Nil compte plus de 600 habitants au km², mais elle est entourée de déserts.

Outre ses insuffisances proprement numériques, la densité comptabilise des hommes et des km² qui ne sont pas comparables entre eux. Bien que les densités de l'Angleterre et de Java soient proches, ce commun dénominateur a-t-il quelque sens devant des populations aux caractères démographiques si opposés, aux niveaux et aux genres de vie si dissemblables? De même quelle analogie existe-t-il entre des concentrations humaines de très grande densité comme celles fondées sur la culture intensive du riz des plaines côtières de l'Asie et celles de l'ensemble urbain de la mégalopolis américaine?

Que ce soit dans le cadre des continents, des grandes régions ou des nations, la densité varie à travers la quasi-fatalité du climat, du relief, des conditions naturelles, à travers aussi les accidents de l'histoire. En elle-même, elle n'apporte qu'un seul éclaircissement, précieux sans doute pour le futur : celui de la quantité d'espace ouvert à un groupe humain, mais elle ne fournit par contre aucune précision sur la relation économique qui existe ou peut exister entre cette population et ce territoire. La primauté accordée à cet indice pour définir un état de sous-peuplement ou de sur-peuplement, la recherche d'un optimum de population reviennent en fait à considérer l'équilibre, ou le déséquilibre entre population et ressources naturelles, à rouvrir le grand débat malthusien. En effet, sous les termes de surface et d'espace vital, ce sont bien les facteurs de richesse économique que l'on vise finalement. Si, *a priori*, il semble y avoir une certaine corrélation entre espace et superficie agricole par exemple, nous sommes bien assurés aujourd'hui que la relation est incomplète et fausse tant que l'on ne précise pas le rendement, la productivité résultant de l'équipement, des engrais, etc. De même, les ressources disponibles en d'autres ordres ont finalement moins de poids que les moyens techniques, financiers, administratifs dont dispose une population donnée pour les exploiter. L'ensemble de ces derniers facteurs, peut-être moins importants avant la Seconde Guerre mondiale, est devenu en 30 ans prépondérant et explique à lui seul le succès d'une nation exemplaire, le Japon, doté d'une population nombreuse sur un territoire exigu, à haute densité donc et dépourvu de ressources naturelles. On en vient ainsi à privilégier l'*optimum économique de population*, concept complexe et instable où s'effacent jusqu'à disparaître la simplicité et l'ambiguïté de la seule relation population-surface.

Cette ouverture sur l'économique nous permet de préciser notre description et de distinguer enfin le clivage essentiel à travers la masse uniforme de notre photographie. La véritable image de la population mondiale à notre époque est celle qu'impose la distinction entre riches et pauvres, entre pays développés et pays en voie de développement. Ce critère dominant rend compte mieux que tout autre de la réalité démographique actuelle et fait disparaître les distinctions jusqu'alors classiques, comme celles des continents, qui ont de moins en moins de signification utile.

Comment cependant reconnaître pays développés et pays en voie de développement? La difficulté est de taille car il n'existe pas de mesure objective et mondialement acceptée du « degré de développement ». Par un paradoxe apparent, c'est un critère démographique qui permet, presque sans exception, de marquer ce partage essentiel. En effet le taux de reproduction est la caractéristique la plus valable et celle dont se déduit avec le moins d'erreurs possible la séparation de la population mondiale en deux groupes : les riches et les pauvres. « Aucun critère, qu'il s'agisse du revenu par habitant, de l'urbanisation, de l'alphabétisation, de l'industrialisation, etc., ne permet de différencier les deux types de façon aussi nette que le niveau de fécondité [1]. »

Il est en effet tout à fait significatif que la loi suivante ne compte que très peu d'exceptions et en tout cas aucune exception marquante : tous les pays en voie de développement ont un taux de reproduction supérieur à 2 % et tous les pays industrialisés un taux inférieur à cette valeur. Pratiquement des taux de 2 % sont rares et les écarts se situent nettement en deçà et au-delà de cette charnière. C'est ainsi que la moyenne non pondérée du TBR [2] est de 2,9 % pour les pays en voie de développement et de 1,4 % seulement pour les autres. Une différence analogue et de même ampleur peut être constatée sur les autres éléments du cadre démographique : le taux brut de natalité est de 39 à 50 ‰ dans la grande majorité des pays en voie de développement, de 17 à 23 ‰ dans les pays industrialisés; le taux de mortalité s'établit quant à lui entre 10 et 30 ‰ dans le premier cas, entre 8 et 12 ‰ dans le second cas. Le taux de croissance annuel varie enfin entre 1 et 3,5 % d'un côté, entre 0,5 et 1,5 % de l'autre.

Il est donc apparent, en première conclusion, que la population mondiale est, du point de vue démographique, nettement séparée en deux groupes. Chacun de ces groupes possède des traits distinctifs : d'une part, les nations à haute natalité, à mortalité importante et dont la croissance annuelle

1. *Les Perspectives d'avenir de la population mondiale*, Nations unies, New York, 1966, p. 3.

2. Le taux brut de reproduction (TBR) désigne le nombre moyen de filles que chaque femme vivant jusqu'à la fin de la période de procréation mettrait au monde dans les conditions de fécondité par âge, propres à la région et à la période considérées.

est rapide. D'autre part, les pays à faible natalité et faible mortalité à taux de croissance réduit. Notons que les taux des pays industrialisés sont en gros de moitié moins élevés que ceux des pays pauvres. Il n'y a pas ici de moyen terme et le fossé que crée l'écart entre ces indices est révélateur d'une dichotomie réelle.

Cette frontière n'est pas seulement démographique : elle correspond exactement au seuil qui divise le monde entre nations économiquement accomplies et celles dont on est convenu de dire qu'elles s'avancent sur cette voie. Bien qu'ici les limites soient moins franches, les oppositions moins tranchées, la dichotomie ne manque pas d'apparaître lorsque nous adjoignons aux données démographiques des indicateurs économiques et sociaux. Le tableau page suivante est à cet égard très éloquent.

Il paraît donc exister une relation paradoxale entre le niveau de développement économique et le niveau de fécondité. Plus celui-ci est élevé, plus, au contraire, les indices économiques sont bas. Rien ne prouve cependant que la cause de la richesse de certaines nations soit leur fécondité réduite. Un grand nombre d'autres facteurs, notamment historiques, interviennent. Il n'en reste pas moins que telle est l'image de notre monde aujourd'hui.

L'irrésistible croissance

Cette image, si nuancée soit-elle, n'est pourtant qu'un instantané. Elle n'éclaire ni son passé, ni son avenir. Une vue

LES DEUX MONDES
(sur une moyenne de 1965 à 1970)

	Populations développées [1]	Populations en voie de développement [2]
1. Taux brut de natalité sur 1 000	18,5	39,4
2. Taux brut de mortalité sur 1 000	8,5	17,3
3. Taux d'accroissement net sur 1 000 (moyenne mondiale 1969 : 19 ‰)	10,0	22,1
4. Espérance de vie à la naissance	65-75 ans	45-60 ans
5. Pourcentage de la population totale au-dessous de 15 ans	28,7	40,1
6. Pourcentage de la population totale au-dessus de 60 ans	12,8	4,90
7. Taux de dépendance économique (en 1960) [3]	586,4	768,2
8. Produit national brut par tête en US dollars; moyenne mondiale : 584	1 650 dollars	240 dollars
9. Alimentation	3 200 calories jour	2 300 calories jour
10. Consommation d'énergie par tête	3 000 à 5 000 unités	100 à 300 unités
11. Pourcentage d'analphabètes	entre 2 et 15 %	entre 30 et 90 %
12. Pourcentage de la population active employée dans l'agriculture	moins de 25 %	plus de 60 %

1. TOTAL : 1 milliard 84 millions : Europe 472 millions, Amérique du Nord 233, URSS 250, Japon 108, Océanie 21.
2. TOTAL : 2 milliards 776 millions : Asie 2 milliards 94 millions, Afrique 374 millions, Amérique latine 308 millions.
3. Nombre des personnes âgés de moins de 15 ans et de 65 ans et plus, pour 1 000 personnes âgées de 15 à 64 ans.

dynamique, une sorte de travelling nous permettra de revenir en arrière pour mieux comprendre le présent démographique et essayer de le projeter dans le futur. Cette description historique a déjà fait l'objet de nombreux ouvrages spécialisés. Aussi nous contenterons-nous de rappeler l'évolution de la seule croissance de la population mondiale, c'est-à-dire le gain global net de population dans le temps, le surplus positif du taux de natalité sur le taux de mortalité.

Notons d'abord que la croissance démographique (comme tout changement démographique quel que soit son sens) n'est jamais mesurée directement. Le mouvement d'une population est constaté par comparaison entre deux recensements effectués dans un intervalle périodique donné.

Les recensements nationaux étant loin d'être une pratique mondialement acceptée encore aujourd'hui, le premier recensement national systématique remontant à moins de deux siècles, c'est dire que les chiffres et coefficients avancés sont discutables s'il s'agit de données actuelles et de simples conjectures s'il s'agit de données plus anciennes. Des efforts très importants ont été accomplis depuis quinze ans pour tenter, par le moyen de recoupements statistiques divers, d'apprécier les variations de la population mondiale dans sa masse et sa composition. Les estimations dont nous disposons semblent acceptables pour définir, dans les grandes lignes, les changements numériques importants de la population et le sens chronologique de ces mouvements. A mesure que l'on remonte dans le temps, les chiffres sont le résultat de plus en plus aléatoire de devinettes auxquelles il n'est pas possible actuellement de donner de réponse.

D'autre part, ne nous laissons pas abuser par la modestie

apparente des taux de croissance. Ils s'appliquent en effet à une masse considérable et fonctionnent selon le même principe que les intérêts composés d'un compte d'épargne. Le tableau suivant indique le nombre d'années nécessaire pour le doublement d'une population donnée suivant les différents taux de croissance.

TAUX DE CROISSANCE ET TAUX DE DOUBLEMENT D'UNE POPULATION

	Taux annuel de croissance	Nombre d'années requises pour un doublement de population
Population stationnaire	Pas de croissance	
Croissance lente	moins de 0,5 %	plus de 139 ans
Croissance modérée	0,5 à 1,0 %	de 139 à 70 ans
Croissance rapide	1,0 à 1,5 %	de 70 à 47 ans
Croissance explosive	2,0 à 2,5 %	de 35 à 28 ans
	2,5 à 3,0 %	de 28 à 23 ans
	3,0 à 3,5 %	de 23 à 20 ans
	3,5 à 4,0 %	de 20 à 18 ans

D'après le tableau ci-dessus nous pouvons constater que si le taux de croissance annuelle actuel (2 %) se maintenait, la population mondiale doublerait en trente-cinq ans! Ce résultat effarant mais mathématiquement indiscutable n'est pourtant que le fruit d'une moyenne. Costa Rica dont le taux de croissance a été de 4 % aurait vu sa population doubler en dix-huit ans seulement! Avec un indice de natalité de

45 ‰ contre un taux de décès de 7 ‰ — soit 6 naissances pour 1 décès — Costa Rica avec une population de 1,7 million en 1970 atteindrait une population de 75 millions en un siècle, soit 44 fois le chiffre actuel. C'est ce mécanisme même, son déroulement, son incidence sur presque tous les aspects de la vie économique sociale et politique de notre planète qui font des taux de croissance démographique l'objet d'une préoccupation fondamentale des hommes de science et d'action.

CROISSANCE DE LA POPULATION MONDIALE

Population mondiale (millions)		Taux moyen de croissance annuelle	
1750	790	**1750-1800**	0,4
1800	980	**1800-1850**	0,5
1850	1 265	**1850-1900**	0,5
1900	1 650	**1900-1950**	0,8
1950	2 515	**1950-1969**	1,9
1975	3 860	**1970-1975**	2,0

Bien que l'acte de naissance de l'*homo sapiens* soit, dans l'état actuel de nos connaissances, impossible à établir, il n'en est pas moins certain que, quel que soit le point de départ, la croissance numérique de notre espèce a été extrêmement lente. Reprenant ici les conclusions de l'ONU, on peut arbitrairement faire remonter à 100 000 ans cet avènement. Toute la population mondiale actuelle pourrait être la descendance de six couples avec un taux de croissance annuelle de 0,002 % par an, soit moins d'un centième du taux actuel. Mais ce point de vue global nous cache l'essentiel. Pendant des millénaires le taux de croissance effectif a été quasiment nul et le véritable démarrage de notre incontestable réussite démographique est, par rapport à cette immense période, très récent et même contemporain.

Les 99 % de l'histoire humaine ont été en effet placés sous l'irrémédiable action d'une mortalité toute-puissante et hors de contrôle. Cette contrainte a entraîné pendant des millénaires un régime démographique uniforme, comparable dans ses grands traits à celui de la plupart des espèces animales et très différent du régime démographique des populations évoluées actuelles que nous examinerons plus en détail ultérieurement.

Une revue rapide des grandes étapes de notre histoire démographique nous permettra de mieux saisir les grands tournants de civilisation qui permirent un développement numérique sans précédent.

Sans remonter à 100 000 ans, contentons-nous de nous arrêter au 15e millénaire avant notre ère. Bien évidemment il n'existe aucune possibilité de dénombrement effectif et seul un raisonnement déductif permet d'avancer un chiffre total de population de 5 millions (peut-être 10, peut-être 3, en toute hypothèse un chiffre très bas). Cette estimation est fondée sur ce que nous savons des densités des populations primitives vivant de chasse ou de pêche et ne pratiquant pas l'agriculture. Ces 5 millions d'habitants impliquent une densité moyenne de 15 personnes par 250 km² dans toutes les régions dotées d'un climat favorable. Cette densité est analogue à celle des aborigènes australiens ou des Indiens chasseurs d'Amérique du Nord au moment de leur découverte.

Au début de notre ère, une grande révolution s'est accomplie et l'espèce humaine a réellement décollé. Après la révolution néolithique, l'homme de prédateur est devenu agriculteur, dégageant ainsi de considérables ressources alimentaires, bases matérielles d'une civilisation urbaine et de vastes unités politiques. Après les vallées de Mésopotamie, du Nil, du fleuve Jaune, de l'Indus, les nouvelles techniques se sont très largement répandues en Asie et en Europe. La population mondiale a effectué un bond en avant : on l'estime à 250 millions. L'Empire romain comptait environ 50 millions d'habitants, l'Inde une centaine, la Chine peut-être 60.

Vers 1650, ce chiffre global avait doublé (500 millions d'habitants). Les faits étant pour cette époque relativement mieux connus, il nous est possible de considérer d'un peu plus près comment s'est opérée cette lente progression. La précarité du système économique et démographique qui sous-tend cette avance globale est prouvée par d'indéniables reculs de population, de terribles et soudaines hécatombes suivies de progressives récupérations. Par exemple, la période des années 550 à 950 représente, pour l'ensemble de l'Europe, quatre siècles de régression démographique due aux premières atteintes de la peste, aux assauts dévastateurs des Musulmans, des Huns puis des Normands. Si les années 1000 à 1348 furent bénéfiques, la seconde moitié du XIVe siècle fut par contre catastrophique : la peste noire enleva en deux ans, de 1348 à 1350, 20 à 25 % de la population européenne et, l'épidémie se doublant de faim, l'Europe de 1400 avait 40 % d'habitants de moins qu'en 1348 : 45 millions au lieu de 73. Sans que des chiffres précis puissent être avancés, l'ensemble du monde paraît avoir perdu dans le même laps de temps 5 % de sa population. Cette hécatombe correspondrait à une perte de 100 millions de personnes en deux ans par rapport à la population actuelle de l'Europe.

Nous n'assisterons plus, dans notre continent du moins, à de tels soubresauts; de 1650 à 1850, la population mondiale passera, plus régulièrement cette fois, de 500 millions d'habitants à 1 milliard. Ce chiffre fatidique d'un milliard, fruit longuement mûri d'une croissance multimillénaire, double en moins de cent ans et la population mondiale compte 2 milliards 500 millions d'habitants en 1950. En vingt ans, de 1950 à 1970, près d'un milliard d'hommes s'ajoute à ce total. Cette seule augmentation de vingt ans correspond presque au total de la population mondiale trois siècles auparavant! La révolution économique et démographique, amorcée au XVIIIe siècle, porte maintenant tous ses fruits et, après avoir exercé ses effets sur deux continents privilégiés, s'étend désormais au monde entier.

L'expansion européenne

De ce trop rapide panorama il convient de retenir deux conclusions. En premier lieu, c'est, à l'échelle des temps historiques, la brièveté de cette extraordinaire expansion numérique qui débuta il y a deux cent cinquante ans seulement. Dans certaines parties de la planète, les taux de croissance dépassèrent nettement la moyenne des siècles précédents. L'explosion s'accéléra durant la première moitié du xxe siècle et bien davantage encore après la Seconde Guerre mondiale : l'humanité tout entière est maintenant engagée dans cette voie.

On peut illustrer le caractère contemporain de cette expansion et sa brusque accélération en considérant les périodes de doublement. Il a fallu un nombre considérable, et inconnu, de millénaires pour que la population atteigne 250 millions au début de l'ère chrétienne. Seize siècles ont été nécessaires pour que soit doublé ce chiffre. Ces 500 millions deviennent 1 milliard en un peu moins de deux cents ans, de 1650 à 1840 environ. Le second milliard a été dépassé aux alentours de 1930, en quatre-vingt-dix ans environ. Le doublement de ce chiffre doit s'opérer fin 1975, soit en quarante-cinq ans! Sous un autre angle, si l'on considère l'accroissement total de l'humanité comme un chiffre net, sans tenir compte des reculs et des pertes dont nous avons dit l'importance, on peut dire en gros que les trois quarts de cette progression ont été réalisés depuis 1750, un septième seulement entre 1750 et l'an 1 de notre ère, un douzième entre l'an 1 et l'an 8000 avant Jésus-Christ. La croissance antérieure à l'an 15000 n'est qu'une fraction négligeable et recouvre pourtant un nombre respectable de millénaires.

Une analyse plus précise de l'explosion démographique amène une autre conclusion. La phénoménale croissance que nous venons de décrire ne s'est pas déroulée dans toutes les régions du monde avec l'apparente uniformité que suggère la seule considération de chiffres globaux. Du xviie siècle au xixe siècle, l'Europe, et l'Europe seule, pendant longtemps, a été le lieu d'une véritable ébullition démographique. Si en 1650 elle comptait de 100 à 120 millions d'hommes, c'est 940 millions d'Européens de souche qui vivaient trois siècles plus tard, dont 640 millions dans le continent d'origine. La poussée de population fut telle en effet qu'elle déborda les limites de l'Europe proprement dite. Grâce à des circonstances historiques favorables, une vague d'émigration d'une ampleur sans précédent déferla, au XIXe siècle principalement, sur les terres d'Amérique du Nord dont la population passa de 1 million en 1650 à 270 millions en 1960. L'Amérique latine, elle aussi, bénéficia dans une moindre mesure de ce mouvement. Vers 1920, l'Europe et les nouvelles Europes se sont multipliées par 6, les autres continents par moins de 3.

Cette expansion privilégiée était l'expression numérique d'une double révolution dont les bénéfices furent effectivement longtemps réservés à moins d'un tiers de la population mondiale. Révolution démographique, d'une part : une baisse permanente de la mortalité en un premier stade, entraînant l'allongement de l'espérance de vie à la naissance, suivie d'une baisse de même valeur de la fécondité à une étape ultérieure. Le décalage prononcé dans le temps entre les deux phénomènes provoqua un considérable surcroît de population. Révolution économique, d'autre part, qui permit la rupture du dilemme population/ressources, l'éclatement de la limite millénaire des subsistances. Grâce à la progression des connaissances scientifiques et techniques, la croissance économique accompagna, puis dépassa celle des hommes.

Au début de notre siècle, les deux tiers de la population

mondiale restaient en dehors de l'influence directe de ce double mouvement. L'Afrique, l'Asie, la grande majorité de l'Amérique latine vivaient encore selon le régime démographique traditionnel : haute mortalité et haute natalité, et n'étaient qu'effleurées par l'intense développement du progrès technique. A partir de 1920, cet archaïsme démographique tend à céder et tous ces peuples, à des degrés et des allures diverses, s'engagent dans la première étape de la révolution démographique, celle-là même que l'Europe avait commencée cent à cent cinquante ans auparavant. La baisse de mortalité s'amorce à vive allure alors que les taux de natalité restent stables : il s'ensuit évidemment une hausse extrêmement rapide.

Période	**Pays industrialisés**	**Pays en voie de développement**
1975-2000	0,97	2,30
1950-1975	1,16	1,94
1950-1960	1,26	2,07
1940-1950	0,35	1,44
1930-1940	0,85	1,28
1920-1930	0,91	1,11
1900-1920	0,92	0,52
1850-1900	1,05	0,53
1800-1850	0,83	0,31
1750-1800	0,62	0,47
1650-1750	0,33	0,34

SOURCE : Donald J. Bogue, *Principles of demography.*

La donnée majeure de la situation démographique actuelle ressort nettement de ce tableau. Si, au début des temps modernes et jusqu'en 1900 environ, les nations industrialisées ont eu un accroissement démographique plus rapide que les pays sous-développés, depuis 1920 c'est l'inverse qui est vrai. Une projection des tendances démographiques actuelles jusqu'à l'an 2000 permet de prévoir un sensible élargissement de cette distorsion. En 1975 nous nous trouvons à un stade intermédiaire du déroulement d'une double croissance. A moins d'un cataclysme planétaire, le taux moyen de croissance annuelle mondiale s'élèvera encore dans les trente années à venir et cette croissance se concentrera de plus en plus dans les pays en voie de développement; au contraire, l'expansion démographique des pays industrialisés diminuera, relativement et absolument.

Un milliard en quinze ans

De ce vaste et trop rapide tour d'horizon, nous pouvons dégager maintenant l'image démographique de notre globe. Quels sont les enseignements majeurs à tirer du flash statique, doublé d'un travelling historique qui a restitué à la population actuelle le sens de son évolution et sa dynamique?

Au-delà d'une donnée numérique globale de base, nous avons vu se séparer, se différencier, s'opposer deux grands types de population. D'un côté une masse très nombreuse groupant environ deux tiers de l'humanité, dotée d'une haute fertilité, d'un taux de mortalité encore important mais en baisse, à espérance de vie réduite et engagée dans le processus de la révolution démographique dont elle traverse, à l'heure présente, la première phase. Cet ensemble est composé en sa majorité de moins de vingt ans et ne compte qu'une minime proportion de vieillards. La prépondérance des jeunes générations, malgré l'insignifiance de la population âgée, ne laisse qu'un pourcentage relativement réduit de population adulte — la seule active —. Cette population jeune est une population pauvre. Elle recouvre presque exactement le double domaine, géographique et économique, des pays sous-développés qui conservent encore une économie à prédominance agricole, à bas rendements et à bas niveaux de vie. Peu ou prou, tous ces pays vont entrer, où sont déjà entrés sur la voie de la révolution économique qui doit à la fois provoquer leur transformation par le biais de l'édification d'une structure industrielle et tendre à l'amélioration du niveau de vie de leurs habitants. Cependant c'est ce même groupe qui, par l'intermédiaire de la modification initiale du régime démographique traditionnel, est animé d'un dynamisme exceptionnel de sa population. Sa croissance démographique déjà rapide depuis cinq décennies va encore s'accélérer et connaître dans les vingt-cinq prochaines années un rythme jamais atteint jusqu'alors.

A tous ces traits les pays industrialisés opposent des caractéristiques contraires. Regroupant une minorité de l'humanité, ils enregistrent de bas taux de naissance et de bas taux de mortalité, une longue espérance de vie à la naissance. Cette population a accompli le cycle complet de la révolution démographique et, à travers des mécanismes collectifs, dont les ressorts sont encore loin d'être connus, contrôle et sa mortalité et sa fécondité. C'est aussi une population âgée comportant un pourcentage notable d'inactifs au-delà de soixante ans mais dont la population active reste relativement importante. C'est enfin une population riche dont l'aisance est fondée sur une économie à prédominance industrielle, hautement diversifiée et qui assure à une large majorité de ses ressortissants un niveau de vie élevé et en progression constante. A ce dynamisme de la richesse s'oppose la modération actuelle de son taux de croissance démographique et le déclin prévisible de ce taux d'ici l'an 2000.

La coexistence de deux ensembles démographiques nettement différenciés, aux caractéristiques tranchées et opposées, animées de mouvements de sens contraires montre qu'il est impossible de considérer comme valable la notion si souvent avancée d'un problème de la population mondiale. Il est permis de penser que la population du monde n'existe pas à proprement parler. C'est le résultat d'une addition sans intérêt, cette totalisation tendant à faire disparaître la réalité concrète de notre temps : la cohabitation sur notre globe de groupes nettement hétérogènes ayant chacun leurs problèmes propres. De plus, notre survol démographique, réduit à l'essentiel, simplifie une situation largement plus complexe dans son détail. A l'intérieur de chaque groupe bien des nuances mériteraient d'être signalées et chaque continent, presque chaque pays présente un bilan démographique original. D'autre part à cette diversité dans le diagnostic s'ajoute celle de l'action, des remèdes inspirés par la souveraineté nationale, le particularisme de blocs politiques aux conceptions divergentes.

Si à tous ces titres il paraît effectivement difficile de

considérer le problème de la population mondiale, il semble par contre loisible et urgent de s'arrêter au *problème mondial de la population.*

Par l'ampleur des masses humaines concernées, sa vitesse acquise et sa probable accélération, la croissance démographique pose en effet à la communauté mondiale une interrogation globale. Dans un court intervalle de temps, en l'an 2000, notre planète comptera probablement 7 milliards d'hommes contre 3 milliards 900 millions en 1975. Cet afflux dépasse tous les précédents, toute référence historique et crée en lui-même par son volume un problème général. Les nations pauvres dans leur ensemble atteindront alors près de 6 milliards d'êtres, elles qui sont les moins préparées à accueillir cette formidable marée. En tête, l'Afrique verra sa population près de quadrupler de 1960 à 2000 : de 270 millions à 850; l'Amérique latine plus que tripler : de 210 millions à 750 et l'Asie, quant à elle, passera de 1 milliard 600 millions d'habitants à 4 milliards 400 millions. Il y a moins de quinze ans une nouvelle population a commencé d'apparaître et c'est dans les pays sous-développés que se produira l'impact principal de l'arrivée de cette seconde moitié de notre future et proche humanité.

Outre l'énormité de ces chiffres, la vitesse fulgurante de cet accroissement est sans doute l'obstacle majeur à surmonter. En elles-mêmes, les dimensions futures de population ne seraient qu'un problème secondaire si un laps de temps suffisant était imparti pour réaliser les adaptations nécessaires. Dans un passé encore récent, c'est à l'échelle séculaire que s'est amorcée puis développée la croissance démographique de l'Europe. Aujourd'hui c'est en décennies, sinon en années qu'il nous faut compter. Journellement le capital humain s'enrichit de 190 000 unités, une ville de taille; chaque année 72 millions, une fois et demie la France. Il y a quarante ans le gain annuel était de 20 millions d'hommes. A son présent taux de croissance, la population de notre globe doublera en trente-sept ans et sur cette base s'accroîtra de 1 milliard en quinze ans.

Le potentiel démographique trouvera-t-il pour se réaliser les ressources correspondantes, un dynamisme économique à la mesure de son dynamisme? C'est bien là un problème mondial car il n'est plus possible aujourd'hui d'ignorer ou de contester le sens de cette formidable irruption.

Les particularismes nationaux ou régionaux, les égoïsmes politiques ou raciaux bloquent sans doute la prise de conscience de la question qui nous est posée et bien davantage encore la mise sur pied de solutions d'ensemble. A travers bien des contradictions et bien des drames, une unité de fait, sinon de droit, s'ébauche pourtant et le problème mondial de la population humaine envisagée comme un tout ne peut être éludé. La civilisation industrielle se diffuse partout et déjà son impact est général : c'est la cause profonde de la baisse de mortalité universelle depuis 1920. De plus une opinion mondiale s'est constituée et ne permet plus l'isolement, la mise en ghettos des masses de population dont l'expansion s'amorce. Tout l'univers est concerné par une épidémie ou une menace de famine, en Inde par exemple. D'autre part, la lutte politique qui scinde notre globe en deux blocs antagonistes concourt paradoxalement à créer une solidarité de fait. Sous quelle bannière se rangera la légion des nouveaux venus? Sur le plan démographique la conclusion pratique de la tension Est-Ouest est l'impossibilité du superbe isolement et, par le jeu de ce conflit concurrentiel, l'apparition d'un commun dénominateur, d'une tentative générale d'aide et de soutien. La décolonisation a été, à cet égard, tout à fait probante en donnant lieu, à travers la rupture de liens juridiques formels, à la création de liens économiques plus désintéressés, au moins en apparence, et où les considérations démographiques interviennent au premier chef. Enfin, si par un effort d'imagination on veut bien décoller du très proche futur que seuls nous permettent d'envisager les faibles moyens d'investigation dont nous disposons, et que l'on considère non plus le tournant de l'an 2000 mais celui de l'an 2100, le taux de croissance de 2 % que nous sommes bien près d'atteindre laisse apparaître le chiffre presque incroyable de 50 milliards d'hommes. Que ce chiffre soit atteint, et à ce terme, n'est pas à considérer ici. La perspective existe pourtant et met en question la survie de l'espèce, à longue échéance, sous l'angle biologique le plus large. Plus immédiatement, elle incite tout d'abord à un inventaire mondial des ressources planétaires renouvelables ou non, à la détermination, dans le cadre d'un équipement scientifique et technique défini, d'un étiage souhaitable de population, d'un commun niveau de vie. Elle pousse ensuite à examiner par quels moyens limiter cette expansion dans les bornes du possible préalablement esquissé et réaliser cette solidarité qui sera irrémédiablement accomplie, de fait, dans la misère et la menace d'une régression globale si notre nombre déborde sans mesure le potentiel de nos richesses.

2

Les riches et les pauvres

Qu'il soit considéré rétrospectivement ou prospectivement, le bilan démographique dont nous venons de rappeler les grandes lignes ouvre deux ordres de réflexions. A l'originalité des deux ensembles de population que nous avons délimités correspondent également deux problématiques spécifiques; c'est à les préciser que nous nous attacherons en premier lieu.

Ce bilan ne serait pas complet si, en second lieu, nous ne tentions pas d'examiner, au-delà des tendances propres à chaque communauté, l'unique et fondamentale question que soulève à l'échelle mondiale l'explosion démographique.

Les populations des pays industrialisés sont aujourd'hui l'escadron précurseur de l'humanité car elles sont au point d'aboutissement actuel de la révolution démographique. Ceci est particulièrement vrai de l'Europe où s'est déclenché ce gigantesque ébranlement où se préfigurent, bien incertains encore, les traits de l'avenir démographique commun. Situés aux avant-postes de notre histoire, ces pays abordent un chapitre inconnu du développement de l'espèce. Presque toutes ces nations caractérisées, nous l'avons vu, par leur faible fécondité étaient, il y a encore soixante-quinze ans, dotées d'une haute fertilité. L'apparition et la persistance d'un vaste ensemble humain à population quasi stationnaire, de fertilité réduite, à espérance de vie élevée, est un phénomène récent et nouveau dans l'histoire humaine. Le premier problème qui se pose à ce groupe est l'originalité absolue de sa situation.

Le contrôle de la mortalité étant arrivé, dans une certaine mesure, à la limite de ses possibilités actuelles, les variations du taux de natalité orientent l'évolution future de la population. Mais là également ces variations n'obéissent plus à une loi biologique, elles sont, elles aussi, le fruit d'une décision : le taux de natalité est le produit statistique de l'action réfléchie de millions d'individus. Après ou avec l'avortement, solution primaire et brutale, le contrôle des naissances, son esprit et ses méthodes ordonnent actuellement le présent et le futur démographique des nations industrialisées. L'adoption et la généralisation des techniques de contraception ont marqué la dernière phase de la révolution démographique. Cette rationalisation du don de la vie boucle enfin le cercle de notre domination sur notre propre destin. Ce pouvoir a de multiples implications dans la mesure où le jugement de milliers d'unités peut changer le sens d'une tendance vers l'expansion ou la contraction d'une population et provoquer ainsi des mouvements démographiques de grande ampleur. A cet égard l'avenir de ces populations est lié à la question de savoir combien d'enfants chaque couple désire avoir et combien d'enfants il aura effectivement. Plus précisément l'interrogation actuelle repose, d'une part, sur l'attitude des couples devant le choix entre une descendance de deux ou de trois enfants — cette seule différence impliquant la croissance ou la décroissance des populations envisagées. D'autre part, cependant, l'efficacité des techniques de contraception n'est pas absolue et, au-delà de ce choix délibéré, il a été constaté que dans ces pays la fécondité effective dépasse de 20 % environ la fécondité désirée. La découverte de moyens contraceptifs efficaces à 100 % réduira très substantiellement cette marge et posera aux États et aux populations le problème de la définition d'un vouloir démographique commun.

Le vieillissement démographique

A long terme pourtant aucune péripétie démographique ne peut modifier sensiblement la question majeure à laquelle ces pays à population stable doivent faire face : leur vieillissement. Ce phénomène, l'un des plus faciles à mesurer et à prévoir, l'un des plus importants par ses nombreuses répercussions, est pratiquement resté inaperçu jusqu'à la période actuelle, que ce soit aux yeux des spécialistes ou de l'opinion. Il y a vingt-cinq ans encore les causes et l'explication de cet insidieux mouvement étaient ignorées ou donnaient lieu, lorsqu'il était signalé, à des analyses erronées. Tout concourait en effet à masquer le changement majeur en cours dans la composition par âges : sa lenteur d'abord, la primauté presque obsessionnelle accordée au seul bilan naissance-décès, enfin le fait apaisant que la population, bien qu'à une vitesse de plus en plus réduite, continuait dans l'absolu à s'accroître. En même temps cependant que les risques d'une régression démographique se précisaient, les techniques d'analyse s'affinaient et, en corollaire, à la menace sur le nombre s'accusait le poids relatif des classes les plus âgées. Cette transformation une fois constatée était si évidente qu'elle ne nécessita pas une définition rigoureuse du vieillissement lui-même et aujourd'hui encore la limite théorique de la vieillesse est fixée, suivant les auteurs, à soixante ou soixante-cinq ans.

LE VIEILLISSEMENT DÉMOGRAPHIQUE

Le vieillissement se mesure par le calcul de la proportion des personnes âgées dans une population donnée et par le taux d'accroissement de cette proportion dans le temps. Allant plus loin, on tient compte aussi de la distinction entre population active et non active et il est admis maintenant que l'on divise la population en trois groupes : les jeunes de zéro à quinze ou vingt ans; les adultes jusqu'à soixante ou soixante-cinq ans; au-delà les vieillards. Les adultes représentent la seule partie active de la population. D'une façon courante le vieillissement est mesuré par le rapport entre vieillards et population totale. On peut également considérer la proportion de personnes âgées par rapport aux personnes actives; il est inutile de souligner l'importance de cette donnée au point de vue économique. Enfin il peut être intéressant d'élaborer un « indice de vieillesse » qui est le rapport des personnes âgées à la population jeune. Il est essentiel de noter que le vieillissement n'exprime qu'un phénomène de *proportions*.
La pyramide des âges donne à un moment précis une représentation graphique satisfaisante de la structure par âge d'une population et permet de distinguer une population jeune et une population âgée.

Le déroulement chronologique de ce phénomène peut être mieux apprécié par l'exemple de la France dont le vieillissement a commencé dès l'aube du XIXe siècle, précédant celui des autres nations occidentales. La proportion des personnes de soixante-cinq ans et plus a triplé, passant de 4,4% en 1780 à 13 % en 1973; les vieillards au-dessus de quatre-vingts ans dépassent aujourd'hui le million, soit cinq fois plus qu'il y a deux siècles. Sans remonter si loin dans le temps, la commission d'étude des problèmes de la vieillesse soulignait que, de 1854 à 1964 — un siècle —, le nombre des personnes âgées de plus de soixante-cinq ans avait augmenté de 3 millions. Dans le même laps de temps, le nombre des jeunes, celui des enfants de moins de quinze ans, a constamment baissé en valeur relative pour n'augmenter en valeur absolue que de 53 000 unités. Dans tous les pays industrialisés la balance démographique voit s'alourdir le plateau vieillards et s'alléger celui de la population des jeunes. Un siècle d'histoire montre que la proportion des adultes, le fléau de notre balance, restant à peu près la même, les jeunes classes ont été, toujours en proportion, remplacées par des vieillards.

Contrairement à une idée largement reçue, cette substitution ne provient pas de la baisse du taux de mortalité et de l'allongement moyen de la vie qui en résulte. La longévité individuelle ne provoque pas en effet *ipso facto* le vieillissement d'un ensemble de population. L'origine de ce phénomène est en fait la chute des taux de naissances. Si la population n'a vieilli de manière massive qu'à l'époque contemporaine, c'est bien parce que le déclin massif des naissances est lui aussi récent. M. Bourgeois-Pichat a pu établir que, la mortalité française ayant diminué au rythme réellement observé depuis la fin du XVIIIe siècle, si la fécondité par contre était restée ce qu'elle était au XVIIIe siècle, le pourcentage des plus de soixante-cinq ans aurait diminué de 4,4 % en 1780 à 3,8 % en 1950. Toutes choses restant égales, la seule baisse de la mortalité aurait donc entraîné un rajeunissement de la pyramide des âges. L'explication de cet apparent paradoxe réside dans le fait que les progrès de la lutte contre la mort permettent d'abord la survie des plus jeunes. « Depuis le début du siècle le risque de mortalité de un à quatorze ans est de dix fois moindre alors qu'au-delà de cinquante-cinq ans il n'est plus qu'une fois et demie plus faible [1]. » Ceci cependant n'est qu'une phase initiale comme nous le verrons ultérieurement.

Avec la lourdeur inhérente à tous les phénomènes démographiques, ce mécanisme va se dérouler et le vieillissement se poursuivre. En 1980 l'Angleterre aura 21 % de sexagénaires contre 15,7 % en 1950 et l'Allemagne 18,9 % contre 13,8 %. Tous les pays industrialisés suivront, avec des valeurs différentes suivant les cas, la même tendance. Le mouvement, fort logiquement, s'accuse dans les nations où la baisse de fécondité est la plus rapide. Au Japon où le taux de natalité a diminué de plus de moitié depuis 1948 les sexagénaires qui étaient 6 millions à la même date seront 20 millions d'ici vingt-cinq ans.

Un bouleversement aussi radical des structures démographiques et la marche quasi irréversible vers une population comptant une proportion accrue de vieillards pose trois ordres de questions aux nations riches.

1. *Population et Société*, n° 5.

La première remonte à l'origine de ce processus et a été exposée en toute clarté par A. Sauvy. Pour tous ces pays le choix est entre croître ou vieillir. Un ressaut de fécondité pourrait seul endiguer le flux du vieillissement. A long terme le bon sens reprend ses droits et, la croissance ne pouvant être indéfinie, l'allongement de la vie entraînera une nouvelle poussée de vieillissement, une voie moyenne restant à définir dans cette hypothèse.

Cette orientation théorique n'empêcherait probablement pas l'accroissement de la proportion des gens âgés et le grave problème économique qu'il soulève. Quel prélèvement opérer sur le produit du travail des actifs pour assurer un niveau de vie convenable aux gens âgés? L'option est posée dès aujourd'hui et notre répugnance à trancher s'exprime à travers diverses techniques de fuite dont l'inflation n'est pas la moindre.

Sous un angle plus général enfin, l'homme moyen dispose pour la première fois d'une vie complète à réaliser. Cet achèvement, autrefois réservé à une petite minorité, devient actuellement le sort commun. Nous ne pouvons aujourd'hui que pressentir les répercussions sur les plans philosophique, politique, économique et social de cette conquête, explorer à tâtons ses chances et ses contraintes.

L'explosion démographique du tiers monde

A tous ces problèmes discrets, apparaissant en filigrane avec l'affinement de nos techniques d'analyse et de prévision, lents, subtils dans leur déroulement et n'imposant pas de ce fait de solutions d'urgence, délicats pourtant, car leur traitement consiste moins en des opérations chirurgicales qu'en une thérapeutique nuancée agissant sur de multiples variables, s'opposent les problèmes auxquels doivent faire face les pays sous-développés.

Là, les tendances démographiques et les questions qu'elles soulèvent sont aveuglantes et ne prêtent à aucune ambiguïté; leur rapidité fulgurante requiert une réponse immédiate; leur ampleur exige enfin des décisions et des remèdes d'ensemble rigoureux et vigoureux, faute de quoi elles risquent d'engloutir et d'annihiler les efforts de construction économique dont le besoin se fait pourtant désespérément sentir.

Il est incontestable que le facteur démographique joue contre les pays défavorisés : l'expansion humaine absorbe une partie très importante de ressources qui pourraient être consacrées au développement économique et à la progression de la consommation. Les formidables difficultés qu'elle suscite freinent ou bloquent l'évolution ultérieure et maintiennent ces pays dans le sous-développement économique au seul profit d'un sur-développement numérique, d'une multiplication de la misère. Dans les quinze pays les plus déshérités, comptant 54 % de la population de ce bloc de la pauvreté, le taux annuel de croissance du produit intérieur, durant la décennie 1960-1970, a été de 2,7 %, dépassant très légèrement le taux de croissance de la population. L'expansion démographique a pratiquement absorbé les fruits de l'avance économique et a exercé une ponction prépondérante sur la richesse globale. Cette ponction s'effectue par le biais de ce qu'il a été convenu d'appeler les « investissements démographiques [1] ». D'après un calcul des Nations unies, un pays dont la population s'accroît chaque année de 2,5 % devrait consacrer aux seuls investissements démographiques une importante fraction de son revenu national, de 5 à 12,5 % suivant les cas, et ceci sans que soit amélioré d'un iota le niveau de vie de ses habitants. Ces dépenses de pure préservation sont d'ordre multiple et doivent s'effectuer dans l'agriculture ou l'industrie, mais aussi dans la santé publique, les écoles, le logement, les transports, etc. Ils reviennent dans une très large mesure, étant donné la structure par âges, à soutenir une immense population de jeunes, d'inactifs.

Une croissance démographique accélérée crée, par ses retombées, d'autres obstacles. D'une façon générale par l'intermédiaire de l'augmentation de la valeur des terres et des fermages, et compte tenu de la très inégale répartition de la propriété, elle accentue l'injustice sociale. D'autre part, elle accuse le déséquilibre entre campagnes et villes et un problème urbain spécifique se pose dans la plupart de ces nations.

Ces charges ne peuvent être éludées, car elles correspondent à un droit élémentaire de la vie mais ce fardeau est si lourd qu'il empêche en cascade la formation de l'épargne, la possibilité d'investir, la constitution et l'accumulation d'un capital productif. Les pays industrialisés ont des taux d'investissement nets annuels oscillant entre 10 % en France et 15 % en Allemagne de l'Ouest. Les États-Unis (12 %) représentant une moyenne. Les démocraties populaires, entre 1948 et 1955, ont enregistré des taux supérieurs à 23 % mais ceci

1. Ou investissements indispensables pour assurer à une population croissante un niveau de vie stable.

grâce à des conditions politiques inconnues ailleurs. Ce taux élevé a créé de telles tensions qu'il a diminué ces dernières années. Dans les pays sous-développés, pour les raisons évoquées précédemment, ce taux dépasse rarement 5 %. Pour les plus pauvres d'entre eux, comme l'Inde, un objectif de 10 % paraît optimiste. Il suffirait à peine à couvrir la demande créée par la croissance de population et une partie négligeable de ces investissements pourrait être consacrée à d'autres tâches.

Comment dans de telles conditions s'équiper et édifier une agriculture et une industrie modernes? Dans une large mesure, l'exubérance démographique ne risque-t-elle pas de bloquer les transformations de structure, d'interdire le développement et l'amélioration du niveau de vie? Il ne paraît pas légitime de privilégier ici le facteur démographique qui, on le verra plus loin, ne peut plus être considéré comme le premier et le seul en cause. Face à la rupture qu'exige le *take off*, à la mutation radicale des structures qu'il implique, la terrible lourdeur de la masse humaine et l'inexorable gonflement de son volume ne sont pas le frein primordial et unique si longtemps dénoncés. La clé du problème est sans doute le saut d'un âge économique à un autre auquel s'oppose le carcan du cadre de l'économie archaïque et son poids tant dans le cadre national que dans le jeu subtil des affrontements internationaux.

Au-delà de cette décision d'ensemble, politique dans son essence, la rigidité des structures sociales présente un obstacle de taille à toute évolution. Là se pose un problème d'adaptation des mentalités, des coutumes, des croyances et des institutions aux changements. La force des sociétés traditionnelles fait ici leur faiblesse dans la mesure où elles se sont organisées en fonction de leur cohésion et de leur permanence. Comment les institutions ancestrales, si fortement structurées, pourraient-elles réagir, sans une très vive résistance, à des chocs qui vont à l'encontre de leurs fins propres, que ce soit l'augmentation de population ou le progrès économique, tous deux rapides. Devant ce nouveau butoir, les réformes, si nécessaires soient-elles, se heurtent à l'inertie d'une expérience millénaire dont les leçons n'ont jusqu'alors jamais été démenties.

Le contrôle des naissances

Clé du développement économique, la résolution du problème démographique en demeure le préalable indispensable. Le contrôle de l'accroissement de la population, la limitation de la fécondité deviennent donc un impératif reconnu et accepté aujourd'hui par un certain nombre de pays désirant aborder la phase du démarrage économique. C'est un aspect original des mouvements actuels de contrôle des naissances en Asie du Sud-Ouest ou au Moyen-Orient que d'être considérés comme une nécessité d'ordre public, une décision politique lancée et appuyée par des États et leur administration. Jusqu'alors le birth control résultait d'actions individuelles et spontanées, au mieux tolérées et souvent combattues par la puissance publique.

Pour intéressante qu'elle soit, cette innovation sur laquelle il nous faudra revenir, ne saurait suffire. L'action démographique n'est pas la panacée dans la poursuite du progrès économique et, si elle en est une condition nécessaire, elle n'en est pas toutefois la condition suffisante. En admettant qu'un succès foudroyant des politiques de population entreprises dans le tiers monde conduise à une diminution du taux actuel de la croissance démographique annuelle de 2,40 % à un taux de 1,20 % d'ici trente ans, cette chute brutale et hypothétique n'empêcherait ni la pauvreté ni la misère de se perpétuer et même de s'aggraver. Si l'on en vient à des vues plus réalistes, celles de l'ONU en l'occurrence, une baisse de fécondité de 50 % en trente ans entraînerait sur les vingt prochaines années une augmentation de 61 % de la population du tiers monde. Sur cette base, en fixant à 5 % le taux annuel d'épargne intérieure (moyenne actuelle constatée) et un accroissement annuel de 2 % de la consommation par tête, le déficit global et annuel de ces nations qui atteint 10 milliards de dollars en 1970 serait de 26 milliards de dollars en 1980.

C'est dire que le développement économique du tiers monde exige, outre l'arsenal des méthodes classiques dont le contrôle de la fécondité est l'arme principale, une autre approche et des solutions nouvelles.

C'est une réponse originale qu'il faut considérer et elle ne peut être envisagée qu'à une échelle comparable à celle du problème posé : l'existence de la grande majorité de l'humanité. Le monde entier est ici concerné.

Au-delà des efforts propres à ces nations, et qui peuvent aller jusqu'à une complète remise en cause de leur régime économique et social, seule une aide économique massive des nations riches peut apporter le complément vital de ressources qui permettra à ces pays de s'intégrer à la communauté du développement, de franchir les caps successifs des goulots d'étranglement démographique et économique. Cette nécessité de l'appui extérieur exige dans son principe et par son ampleur une prise de conscience mondiale. Dépassant la phase d'une culpabilisation stérile, l'Occident doit constater que les sciences et les techniques qu'il domine et utilise sont ici durement et involontairement subies. Si par elles l'Occident a bouleversé l'évolution du tiers monde, il est légitime qu'il s'associe aux réadaptations nécessaires pour que cesse de se creuser davantage le fossé entre pauvres et riches et que soit enfin reconstitué un destin commun.

Les inégalités économiques

Un premier tour d'horizon nous a montré l'ampleur du problème, une analyse plus poussée est cependant nécessaire pour mieux comprendre le problème mondial de la population. Et d'abord il faut insister sur le déséquilibre majeur qui oppose les économies de consommation riches à haut niveau de vie aux économies de pénurie pauvres en production et en bien-être; les unes jouissent d'une quasi-stabilité démographique, les autres sont accablées d'une démographie galopante. Quelques chiffres significatifs révèlent d'énormes inégalités, lourdes de conséquences politiques et sociales. A la base une carence majeure : les pays pauvres avec environ les deux tiers de la population globale ne disposent que de 12 % de la richesse mondiale. Les pays riches comptent un tiers de la population et possèdent plus des deux tiers de la production mondiale. En gros chaque habitant des nations favorisées produit seize fois plus que celui des nations pauvres. Le petit schéma ci-dessous reprend cette donnée.

Population et produit national brut

POPULATION

PRODUIT NATIONAL BRUT

La cruelle situation des dépourvus s'explique à partir de cette inégalité de production qui entraîne l'inégalité dans la consommation, le bien-être, le niveau de vie, les revenus. Ainsi se créent des disparités régionales explosives à long terme. Par rapport aux régions les plus pauvres d'Asie et d'Afrique, le revenu moyen par tête des nations déshéritées d'Amérique latine est déjà deux fois plus élevé, celui des nations d'Europe dix fois et l'Amérique du Nord a un revenu individuel trente fois plus important : 2 700 dollars de revenu moyen annuel par tête pour les Européens de l'Ouest en

1973, 4 760 pour les citoyens des États-Unis contre 500 pour la plupart des sous-développés (70 dollars au Mali).

Cette vue statique ne reflète qu'une partie du drame. Une projection dynamique est plus éclairante car l'écart, loin de diminuer, tend encore à s'accroître. En richesse produite d'abord : de 1958 à 1965, en sept ans seulement, la part des pays développés dans la richesse produite s'est accrue de 87,7 % à 88,4 %; celle des pays pauvres s'est réduite de 12,3 % à 11,6 %, soit une diminution relative de 5 %. Dans le même laps de temps, la population de ces pays augmentait de 15 % environ. Cette évolution en sens contraire est davantage prononcée, si possible, dans le domaine des revenus. Sans modification sensible de la situation actuelle le fossé entre régions pauvres et régions riches risque de se creuser irrémédiablement et d'une façon effrayante en valeur absolue. D'ici cinquante ans, l'écart entre pays occidentaux et pays d'Amérique latine qui est de 1 à 5 passerait de 1 à 8; l'écart qui est actuellement de 2 000 dollars environ passerait à 10 000 dollars par tête. Pire encore : en Asie du Sud, l'écart de 2 500 dollars dépasserait 13 000 et, en valeur relative, il serait de 20 contre 1. Grâce à un point de départ économique et démographique de beaucoup plus favorable, l'avance du revenu annuel des riches dépasse vingt fois celle des pauvres. En une seule année, la croissance du revenu d'un des heureux de ce monde dépasse le tiers du revenu *total* d'un habitant des pays sous-développés.

Ce tableau doit être complété par deux remarques importantes. Il ne faut pas oublier d'abord la position absolument dominante des États-Unis. Avec 6 % de la population mondiale, ce seul État produit 35 % des biens et des services. La consommation d'énergie y est de six fois plus élevée que dans l'ensemble de la planète, cinquante fois plus que dans l'Inde et chaque Américain du Nord dispose d'une fois et demie plus d'acier qu'un Soviétique, quatre-vingt-dix fois plus qu'un habitant de l'Afrique noire. On pourrait citer des exemples dans tous les domaines. L'amplitude de l'inégalité est telle, d'autre part, qu'une solution radicale comme la répartition équitable du revenu mondial entre tous les hommes aurait accru en 1950 le revenu par tête de l'Amérique latine de 31 %, aurait triplé celui de l'Afrique, quintuplé celui de l'Asie en n'accordant en définitive à chacun qu'un cinquième du revenu de l'Américain.

L'affrontement Nord-Sud

L'incidence directe et massive de la course démographique pèse évidemment d'un très grand poids dans la perpétuation et l'aggravation de cet état de choses. Les dernières projections de population publiées par l'ONU en 1974 sont basées sur plusieurs hypothèses de départ. La première d'entre elles est que les tendances actuelles de la démographie mondiale se poursuivent telles quelles sans modification : de 4 milliards en 1975 la population mondiale compterait 7 milliards 200 millions d'hommes en l'an 2000, 14 milliards en 2025, 80 milliards en 2075! Cette projection est irréaliste car elle ne tient pas compte d'un fléchissement de la fécondité. Suivant la date où cette baisse atteint telle ou telle région du monde, l'ONU a défini trois hypothèses du niveau démographique mondial en l'an 2000. La « haute » serait celle qu'on vient de voir ; une hypothèse « moyenne » avec 6 milliards 494 millions d'hommes en 2000; une « faible » : 5 milliards 500 millions. Le tableau suivant présente ces mêmes trois hypothèses développées sur un siècle de 1975 à 2075.

Dans tous les cas la population mondiale aura presque doublé en quarante ans, de 1960 à l'an 2000. Sans qu'il soit nécessaire d'insister sur les aspects dangereux de cette exubérance, il est utile de revenir plus en détail sur ces chiffres. Le déséquilibre planétaire apparaît ici dans sa plénitude : non seulement, dans un proche avenir, les riches deviendront de plus en plus riches, les pauvres de plus en plus pauvres, mais encore le nombre des pauvres augmentera très sensiblement. D'après l'ONU, 85 % de la hausse totale aura lieu dans les pays en voie de développement et cette croissance bouleversera complètement l'image démographique de notre monde. En 1900 les deux tiers de la population mondiale vivaient en Asie, Afrique et Amérique latine, un tiers dans les pays riches. En 1965, cette proportion était de trois quarts sur un quart. En 2000, elle sera de quatre cinquièmes sur un cinquième. A cet égard il est révélateur de considérer l'évolution entre 1930 et 2000 des dix nations les plus peuplées du monde.

Signalons que, sur la base de la projection des tendances démographiques actuelles, la population de ces dix nations compterait en 2000, au total, 4 milliards 700 millions d'hommes. En essayant de synthétiser la marche de la distribution de la population depuis le début du XIXe siècle jusqu'à

POPULATION MONDIALE ET SES HUIT RÉGIONS PRINCIPALES EN 1975 ET EN 2075 SUIVANT LES PROJECTIONS « HAUTE », « MOYENNE » ET « BASSE »
(en millions)

Région	1975	2075 suivant les variantes		
		haute	moyenne	basse
Total mondial	**4 029**	**15 831**	**12 210**	**9 462**
Groupe Nord	**1 989**	**3 606**	**3 107**	**2 718**
Amérique Nord	243	488	340	295
Europe	479	669	592	533
URSS	256	435	400	359
Asie Est	1 011	2 014	1 775	1 531
Groupe Sud	**2 040**	**12 225**	**9 103**	**6 744**
Amérique latine	327	1 796	1 297	1 003
Afrique	395	3 465	2 522	1 599
Asie Sud	1 296	6 898	5 232	4 102
Océanie	22	66	52	40

SOURCE : « Concise report on the World Population situation in 1970-1975 and its long-range implications », *Population Studies*, n° 56, p. 67, ONU, New York, 1974.

la conclusion du siècle présent on constatera l'énorme disparité dont seront témoins les trente prochaines années.

A bien considérer ce tableau, on constatera aussi que l'opposition Ouest-Est qui a dominé les décennies de l'après-guerre risque, à relativement bref délai, d'être éclipsée par un affrontement Nord-Sud où se condenserait en ses termes les plus élémentaires le dilemme entre population et richesses, entre pays nantis et pays dépourvus, entre démographie galopante et démographie stagnante.

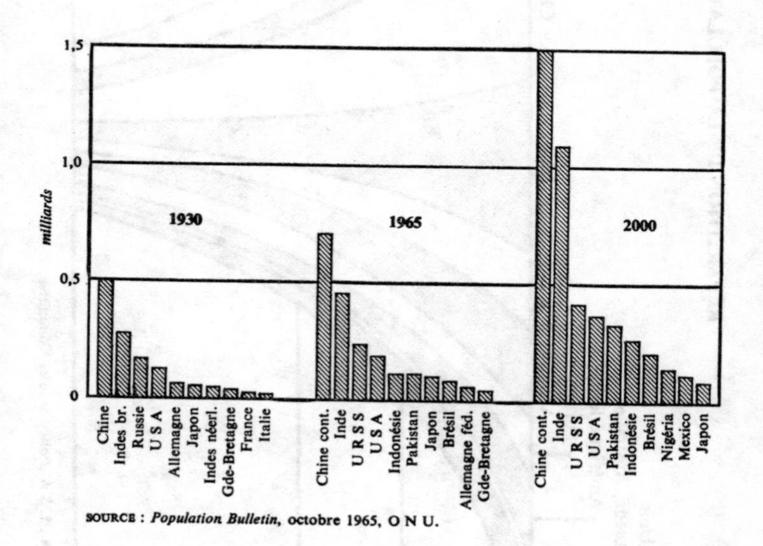

SOURCE : *Population Bulletin*, octobre 1965, O N U.

RÉPARTITION DE LA POPULATION

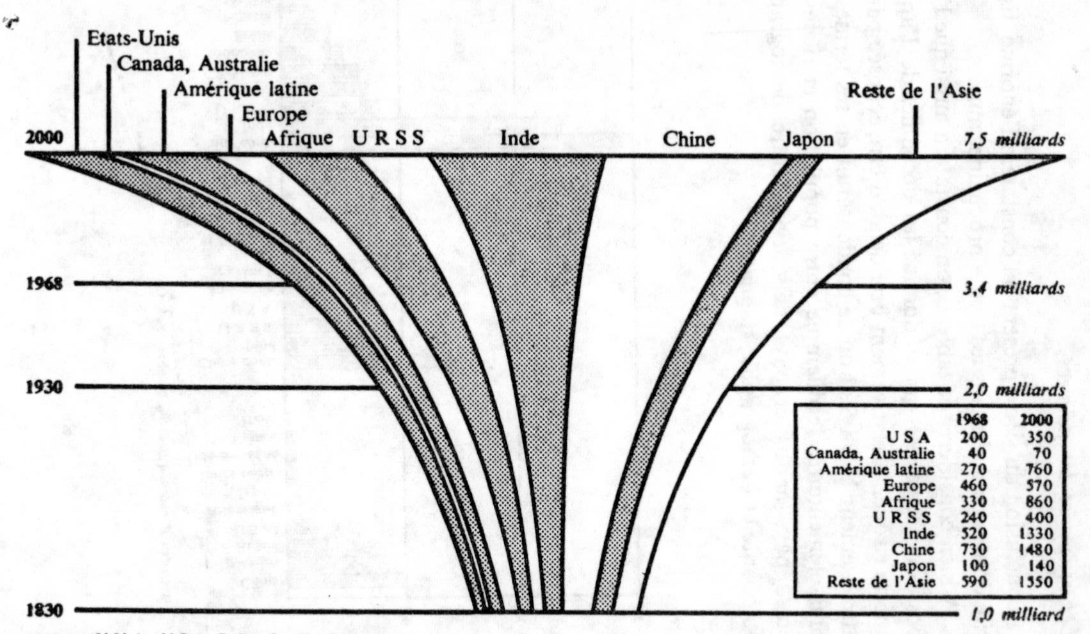

	1968	2000
U S A	200	350
Canada, Australie	40	70
Amérique latine	270	760
Europe	460	570
Afrique	330	860
U R S S	240	400
Inde	520	1330
Chine	730	1480
Japon	100	140
Reste de l'Asie	590	1550

SOURCE : U N A , U S A Policy Studies Committee, 1969.

La surproduction et la faim

L'aspect le plus poignant, le plus atroce de cette implacable loi de l'inégalité est sans doute celui qui atteint l'homme à la source même de son existence : la faim. Bien des volumes lui ont été consacrés et bien des opinions contradictoires s'y sont exprimées. Malgré la diversité des avis formulés, la faim demeure aujourd'hui une plaie mondiale et dans ce domaine la solidarité internationale a joué. L'Inde en 1965 a été sauvée de la famine par les cargos chargés de blé américain et canadien. La course entre la production de nourriture et la reproduction humaine, dont les premières bases théoriques ont été posées par Malthus, pèse aujourd'hui et pèsera encore bien davantage demain sur la conscience de l'humanité.

Plus de 500 millions d'hommes, 1 sur 7, sont en état de sous-nutrition et souffrent régulièrement de la faim du fait d'une alimentation quantitativement insuffisante. Un milliard et demi, 1 homme sur 2, souffre de malnutrition, d'une alimentation qualitativement déficiente, principalement par défaut de protéines. 28 % seulement de la population mondiale disposent de plus de 2 700 calories par jour, et 60 % ont moins de 2 200 calories : la nuance va ici du sous-alimenté à l'affamé. La FAO estime à 3 200 calories par jour les besoins de l'homme normal et l'on ne dépasse pas en Inde et au Pakistan 1 950 calories. Qualitativement l'Amérique du Nord, l'Europe et l'Océanie sont les seules régions du monde où la consommation moyenne de protéines satisfasse aux nécessités physiologiques. La ration quotidienne y est de 8 à 9 fois supérieure à celle de l'Extrême-Orient qui souffre dans son ensemble d'une carence protéique prononcée. En résumé plus de la moitié de l'humanité — l'Asie — ne dispose que du quart des ressources alimentaires mondiales et 29 % de la population mondiale — vivant dans les pays favorisés — en consomment 57 %.

L'évolution des dernières décennies marque une amélioration certaine de la situation alimentaire globale. La production par tête, selon la FAO, serait de 16 % supérieure en 1966 à la moyenne 1935-1939. Cette moyenne mondiale masque cependant un contraste fondamental. Si dans les pays développés l'augmentation est de 43 %, elle n'est que de 2 % dans les pays en voie de développement — à partir d'un niveau de départ absolument insuffisant en quantité comme en qualité. On a pu avancer qu'entre 1961 et 1965, la production par tête, du fait du bond démographique, avait baissé de 6 % en Amérique latine et de 4 % en Asie.

Il est extrêmement difficile de prévoir les accroissements de la production. Par contre on connaît assez précisément le montant des besoins à satisfaire. Si l'on prend en compte les excédents démographiques probables dans les trente prochaines années et si évidemment l'on admet que ces nouveaux venus doivent être nourris, la production agricole devrait s'accroître de 103 % d'ici 1980 et de 261 % d'ici 2000. Pour permettre une amélioration modeste des régimes alimentaires, il faudrait que la production mondiale de viande, de lait, de poissons et d'œufs augmentât de 300 % et d'au moins 500 % dans les pays sous-développés. Le cap envisageable de 10 milliards d'hommes serait-il atteint et cette masse jouirait-elle d'un niveau alimentaire égal à celui d'un Américain d'aujourd'hui que l'étendue des terres cultivées devrait être augmentée de 50 % et les rendements égaler ceux du Japon ou de l'Europe de l'Ouest. Cette dernière hypothèse est, de toutes, la plus improbable. Depuis 1940 les gains de production agricole en Amérique du Nord et en Europe ont résulté du seul accroissement des rendements : 109 % aux États-Unis. A ce doublement correspond une augmentation de 7 % en Asie, de 8 % dans le tiers monde. Où trouver les énormes ressources alimentaires qui sont et seront nécessaires? Si l'on se limite au seul problème des céréales et si l'on estime que le taux annuel d'accroissement de la production céréalière se poursuivra au même rythme, les besoins des pays pauvres se seront accrus en 2000 de 650 millions de tonnes. A cette date les possibilités d'exportation des nations riches seront de 53 millions de tonnes : 8 % seulement. Dès maintenant les stocks mondiaux sont réduits : 60 millions de tonnes en 1960, 18 millions en 1967. En 1969 les nations déficitaires ont importé 25 millions de tonnes de blé, à peu de chose près l'équivalent d'une récolte américaine. Les surplus agricoles de toutes sortes qui embarrassent nos greniers et nos gouvernements font ici illusion et leur poids réel demeure modeste par rapport aux besoins.

Aussi bien la faim ne pourra-t-elle s'atténuer et disparaître que par une véritable mobilisation à l'échelle mondiale. La question ici n'est pas de savoir combien la terre pourrait nourrir d'hommes, mais, beaucoup plus concrètement, s'il sera possible d'assurer la subsistance et l'existence de 7 milliards d'hommes en l'an 2000. Les solutions techniques existent certes et rien ne dit que la croissance démographique l'emportera effectivement sur celle des ressources alimentaires, mais un redressement substantiel d'une situation actuellement grave ne peut être attendu dans l'immédiat. En premier lieu on doit restructurer sur des bases plus équitables le marché mondial des grands produits de base. On doit, à plus long terme, envisager une redistribution, sous une forme ou une autre, des ressources et le renforcement de cette solidarité déjà ressentie et discrètement manifestée par des opérations de simple sauvetage.

Le gaspillage des ressources naturelles ?

Bien que vitaux, les produits alimentaires ne constituent cependant qu'un élément parmi l'ensemble des ressources nécessaires, à des titres divers, à notre existence. Ce patrimoine appartient en commun à l'humanité même si dans l'immédiat son appropriation donne lieu à des luttes sauvages et sa répartition à de criantes injustices. Si l'humanité faisait son bilan, elle porterait au crédit la masse des ressources disponibles avec leurs différents modes de mise en œuvre; au passif le nombre de parties prenantes avec leurs différents types de consommations. Une gestion prévisionnelle conduirait à envisager les possibilités de réponse à la pression exceptionnelle que notre actif subit du fait de la hausse récente et brutale de la demande des consommateurs. De plus il ne faudrait pas seulement prendre en compte l'accroissement quantitatif mais également l'amélioration du niveau de vie. Telles sont les données de la course entre population et ressources dont la faim dans le monde ne constitue qu'un aspect.

Si le sol et le travail humain forment les bases en capital, la récolte apporte chaque année les fruits des intérêts. Mais comment conserver le capital lui-même? Une exploitation intensive peut apporter dans l'immédiat des rendements élevés, mais au détriment des moissons futures. Cette forme d'agression est de tous les temps et bien des déserts sont des créations humaines : l'homme a rompu par une intervention démesurée un équilibre dont la fragilité était d'autant plus sensible que les conditions naturelles étaient plus sévères. L'apport d'engrais chimiques peut, dans une large mesure, éviter cette dégradation mais bien des facteurs (l'érosion notamment) interviennent dans ce processus qui sont difficilement contrôlables. Ce danger, cependant, est de mieux en mieux apprécié et les techniques de combat de plus en plus répandues.

L'interrogation majeure porte sur les ressources non renouvelables, celles dont l'usage correspond à une irrémédiable dissipation. Le caractère fondamental qui distingue notre civilisation industrielle de toutes celles qui l'ont précédée ou échappent encore à son empire, est sa complète dépendance, pour son existence et sa progression, par rapport aux approvisionnements miniers. Presque toute notre énergie et tous nos métaux sont extraits de la couche superficielle de l'écorce terrestre. En fait les pays industrialisés, 30 % de la population mondiale, jouissent d'un quasi-monopole de consommation avec 90 % des richesses minières, qu'elles soient énergétiques ou métalliques. Sera-t-il possible de modifier cette situation et d'étendre à la population mondiale les avantages d'une minorité?

Une question se pose immédiatement : les ressources naturelles que le monde contient suffiront-elles pour atteindre ce but ? A plus longue échéance, l'industrialisation pourra-t-elle se prolonger indéfiniment et la forme d'exploitation des richesses qu'elle implique n'est-elle pas un phénomène transitoire et relativement éphémère dans le cours millénaire de notre aventure?

La complexité et la difficulté des calculs interdisent des réponses formelles et les chiffres avancés ci-dessous sont à la vérité des approximations qui dissimulent d'importantes marges d'incertitude.

On constate historiquement que la production d'énergie à partir de combustibles fossiles et l'extraction des métaux n'ont débuté dans le monde industriel qu'à la fin du XVIIIe siècle pour atteindre dans le courant du XIXe une croissance de rythme exponentiel sur la base d'un taux global annuel de 4 % environ. Cependant la production de pétrole — nouveau venu — a augmenté de 7,85 % de 1880 à 1930 et celle de l'aluminium de 9,35 % de 1910 à 1963. Les gisements de combustibles fossiles et de minerais à haute teneur, économiquement exploitables, représentant un système de quantités fixes dont l'exploitation entraîne l'épuisement absolu, il est impossible que la production s'accroisse à de tels rythmes pendant une longue période. L'homme dévore ici le passé géologique de la planète, dissipe les réserves dont l'accumulation s'étend dans le cas du charbon sur 3 milliards d'années, pour le pétrole sur 600 millions d'années, et dont la reconstitution n'a donc aucun sens à l'échelle du temps humain.

Si nous nous limitons à l'examen de nos besoins futurs en énergie, il apparaît que la production de charbon passera par un maximum d'ici 200 ans et que 80 % des réserves seront consommées en 300-350 ans. Pour le pétrole, le taux maximum de production mondiale se situera à la fin du XXe siècle et 80 % des réserves connues seront consommées en quatre-vingts ans. Cette prévision repose sur l'hypothèse d'un taux mondial de production de trois fois supérieur seulement au taux actuel. Il convient cependant de rappeler combien a été brusque la flambée de notre consommation en énergie et en minerai. La production accumulée de charbon depuis le XIIe siècle jusqu'en 1965 s'élève à 109×10^{9} tonnes, mais la moitié de cette énorme masse a été extraite depuis 1933. Cette accélération se constate dans l'exploitation de toutes les ressources minières pour lesquelles la production du dernier demi-siècle a été supérieure à l'ensemble de toute la production antérieure. Aussi bien, à l'échelle historique, peut-on assurer que la période économique fondée sur l'utilisation des combustibles fossiles sera brève.

Pour les minerais la situation est différente, car nous n'avons exploité jusqu'ici que les filons à haute teneur. Les réserves de minerai à faible ou moyenne teneur sont énormes mais nous ramènent au problème précédent car leur utilisation est fonction des quantités d'énergie également énormes dont il faudrait disposer pour les traiter. Pour le moment les gisements à haute teneur actuellement reconnus suffisent, suivant les cas et au rythme d'exploitation actuelle, à assurer notre avenir de quelques décennies à quelques siècles.

Il apparaît cependant que, dans l'espace des vingt-cinq prochaines années, nos besoins risquent d'être supérieurs à ceux que nous venons d'envisager. La consommation d'électricité double à chaque décennie, ce qui correspond à une multiplication par 100 dans le cours d'une vie humaine normale. La consommation d'énergie totale double tous les douze ans et celle du minerai de fer en onze ans : d'ici l'an 2000, c'est une production d'énergie quintuple de celle d'aujourd'hui et une production de fer multipliée par 6. Dans ce contexte il est douteux que nos réserves en combustibles classiques suffisent à couvrir les besoins des siècles à venir et au taux de consommation de l'an 2000 elles seraient dilapidées en 150 ou 200 ans, ce qui est évidemment bien court.

Le président Kennedy, averti de ce problème, avait demandé sur ce sujet un rapport très complet à ses experts. Ce rapport fut publié en 1962 et les conclusions en sont éloquentes. Les États-Unis auront épuisé d'ici soixante-quinze à cent ans les ressources fossiles à bas coût d'extraction; les réserves possibles d'ici cent cinquante à deux cents ans et, longtemps avant ce terme, dès aujourd'hui, des mesures doivent être adoptées. Avec 6 % de la population mondiale les États-Unis disposent pourtant de 30 % des réserves connues. Comme le reste du monde accroît sa consommation deux fois plus vite que les États-Unis, le rapport estime que les ressources mondiales seront épuisées avant même celles des États-Unis.

Une solution consiste bien évidemment à substituer aux sources classiques d'énergie d'autres formes possibles d'énergie et notamment celle de l'atome. Il est très probable que d'ici vingt-cinq ans les États-Unis couvriront 25 à 30 % de leurs besoins grâce à cette nouvelle technique. A l'encontre du pessimisme suggéré par les prévisions précédentes, il est nécessaire de mettre en balance les progrès présents et futurs de la science et de la technologie qui opèrent toutes deux dans le sens opposé à cette irrémédiable et rapide usure de nos réserves. Grâce à leur essor, les réserves de ressources classiques sont chaque jour découvertes ou deviennent exploitables; l'emploi de produits de substitution de plus en plus nombreux diminue la ponction sur les matières premières traditionnelles : le développement des plastiques en est un exemple. Le rapport Kennedy insiste à juste titre sur les espoirs qu'apporte à toute l'humanité la technique des surgénérateurs qui réglerait le problème énergétique pour des milliers d'années, sur la possible conquête de la fusion nucléaire qui nous délivrerait définitivement de la famine d'énergie qui risque de freiner peu à peu notre développement industriel.

La pollution

A court terme, les chances de l'humanité semblent être à la mesure des dangers qui la guettent : un développement démographique hors de mesure avec l'apport des ressources indispensables à assurer ce mouvement même. Mais une autre menace apparaît qui s'est profilée dans le courant du dernier demi-siècle.

La science et l'industrie ont permis un accroissement phénoménal et du nombre des hommes et du volume de leurs ressources. La stricte sujétion au milieu a été réduite et, dans l'élan de cette émancipation, de nouvelles formes de richesses ont été inventées et intensément développées. Dans le même temps pourtant, l'imposant outillage constitué à notre profit attaque et détruit par ses conséquences secondes notre milieu. Les retombées indirectes poseront dans un proche avenir des questions non moins sérieuses que celles que nous venons d'examiner. Deux d'entre elles sont déjà à l'ordre du jour et concernent des ressources aussi essentielles que l'eau et l'air. Aurons-nous assez d'eau et sera-t-elle encore buvable? L'air deviendra-t-il irrespirable? Plus loin encore l'espace de plus en plus réduit qui nous est imparti restera-t-il réellement vivable? La ville ne deviendra-t-elle pas un tombeau? Les formes d'agression et de destruction sont ici multiples et, par un juste retour des choses, les plus riches sont les plus vulnérables. Citons un seul exemple : la voiture est responsable aux États-Unis de 40 % de la pollution de l'air; c'est une dévoreuse d'espace et qui tue en une année plus d'Américains que dix guerres du Vietnam. On escompte pourtant que le nombre de véhicules en 1985 sera de 170 millions, soit une augmentation de 70 %. Il est permis de penser que le besoin de se déplacer et de se transporter devront à brève échéance être satisfaits par d'autres moyens et que l'automobile, européenne ou américaine, risque d'être un phénomène aussi transitoire que le pétrole qui l'anime.

Le défi

L'expansion industrielle, l'avancée scientifique, l'apparition et la diffusion de nouveaux modes de vie, la prodigieuse élévation du niveau de vie ont engendré des réactions nuisibles et souvent imprévisibles dont l'accumulation compromet les bienfaits immédiats et les plus apparents de ces mêmes progrès. Une remise en cause est ici nécessaire et appelle, outre un bilan, le contrôle de l'emploi de la répartition de ressources aussi indispensables que l'air et l'eau. Tous les individus, toutes les sociétés et les nations sont concernées et la conscience d'un destin unique est en train de prendre corps. La communauté mondiale est en voie de formation et, avec elle, celle d'un ordre mondial qui, outre une régulation du développement de nos possessions, prendra en considération nos problèmes généraux : la faim, le déséquilibre économique, le déséquilibre démographique.

Sur le plan politique, la création de l'ONU est, à l'échelle de cette conscience universelle, l'expression imparfaite mais vivante de ce besoin. Elle seule est à la mesure d'un risque massif et immédiat, preuve de notre pouvoir et de notre faiblesse : la menace atomique.

D'un côté, l'annihilation de l'espèce dans un mouvement de folie collective, un embrasement apocalyptique et planétaire, suicide de l'homme au faîte de sa puissance et de sa déraison, de l'autre sa disparition à travers une lente et irrémédiable dégradation, une dilapidation de ses ressources dont le montant est définitivement limité. Des deux termes de l'alternative, le premier est hors de notre propos. Quant au second, le film ou plutôt le court métrage que nous venons de projeter nous a permis de constater que le point crucial de toutes les interrogations est en fait la croissance démographique. Si ce tour d'horizon a fait apparaître des groupes de population nettement individualisés, des problématiques particulières en fonction même de cette diversité, nous avons aussi pu nous assurer que la faim, la pauvreté et la misère forment le lot des trois quarts de l'humanité et la concernent tout entière. Dans le même temps une démographie galopante rend dramatique la course entre population et ressources, compromet l'existence de millions d'êtres, réduit à néant tout espoir d'une progression du niveau de vie qui est une revendication non moins fondamentale de ces désespérés. Le présent est peu souriant, mais l'avenir est encore plus menaçant, car l'accroissement démographique risque de s'accélérer encore.

Toute notre histoire fournit cependant la preuve que nous avons pu répondre à des défis non moins considérables. La lente conquête du globe a été le fruit d'une adaptation de plus en plus précise de l'homme à son milieu, d'une longue amélioration de ses moyens techniques d'exploitation. Par quel mécanisme démographique la population a-t-elle accompagné cette mainmise sans jamais la remettre en cause? Tout récemment l'histoire a déjà apporté une réponse à certains des problèmes que nous venons d'examiner et notamment à celui de l'exceptionnelle expansion démographique de l'Europe qui a créé, dans l'unité démographique antérieure, un type original de population. Cette réponse est-elle encore valable? Est-elle même possible? Ce modèle est-il applicable à tous les temps, à tous les pays?

3

De la stabilité à l'expansion

Nous avons assisté au déroulement en raccourci de l'histoire humaine sous l'angle de sa donnée la plus immédiate : celle du nombre. Cependant ces images, aussi expressives soient-elles, ne sont que le reflet d'un jeu de forces plus profondes. Par quel mécanisme ces forces se sont-elles manifestées et combinées ? Comment s'adaptèrent et réagirent dans le temps les diverses variables qui forment les rouages de la démographie, animent l'évolution des populations, déterminent le sens et l'ampleur de leurs mouvements numériques ?

Cette analyse indispensable pour faire revivre le passé, l'est aussi pour appréhender le présent et tenter de deviner l'avenir. A la vérité, son objet ultime serait d'aboutir à une explication totale, cohérente et normative, englobant toutes les époques et tous les espaces. Il paraît impossible, au stade actuel de nos connaissances, d'aboutir à un si brillant résultat et il est même tout à fait probable qu'il n'existe pas une « loi de la population » mais une série d'approximations valables dans le cadre limité de conditions de temps et de milieu bien déterminées. Reprenant le déroulement de notre histoire il semble pourtant possible de chercher à travers cet apparent désordre un fil d'Ariane, un schéma descriptif et explicatif dont le cadre général coïncide avec l'ensemble des faits rassemblés.

Le régime démographique « naturel »

Est-il nécessaire de rappeler que 99 % de l'existence de l'*homo sapiens* sur terre se placent sous le signe d'une immobilité numérique presque complète, que cette espèce parmi les plus jeunes n'a conquis ses lettres de noblesse qu'après une longue période d'avancée précaire? Considérée depuis ses très lointaines et imprécises origines jusqu'au temps présent, l'espèce a progressé à un taux extrêmement faible. Jusqu'à la brusque rupture qui a marqué son épanouissement et son triomphe, l'humanité a connu un modèle d'évolution démographique dont les caractéristiques générales ont dominé, malgré de très importantes différences, tous les peuples et tous les siècles et qui suffisent à expliquer la lenteur et les à-coups de cette promotion.

Pendant ces centaines de millénaires où le monde n'a abrité que des populations « naturelles », ce régime démographique a traduit, dans le domaine des faits vitaux, l'implacable plafond fixé par l'inertie du milieu, l'incapacité à dégager de ce fonds les ressources qui puissent répondre aux possibilités quasi infinies du pouvoir multiplicateur de notre espèce. En ce sens, ce régime représente également une forme d'adaptation dont on appréciera plus loin l'aveugle cruauté. Bien que faible par rapport à d'autres espèces animales, la puissance biologique de l'humanité est encore énorme. A un taux annuel de croissance démographique de 1 % et par le seul jeu de la progression géométrique, un seul couple aurait 439 millions de descendants en l'espace de 2 000 ans. Pour nous limiter à une période où des chiffres deviennent accessibles, nous nous bornerons à considérer le régime démographique européen dans les quelques siècles (XVIe-XVIIIe) qui précédèrent l'éclatement de ce carcan qui enfermait ce potentiel d'expansion.

Le premier fait, massif, est la puissance accablante de la mort. La mortalité est à un haut niveau : aux environs de 40 ‰, l'espérance de vie à la naissance se situe entre trente et trente-trois ans. Dans ces conditions, sur 100 nouveau-nés, 25 meurent avant d'avoir un an, 25 n'atteignent pas vingt ans, 25 enfin ne dépassent pas quarante-cinq ans. Il faut au moins deux enfants pour faire un adulte. A cette hécatombe des morts « sans histoire », s'ajoutent ceux que provoquent dans une apocalypse dévastatrice les ravages des fléaux qui accablent ces populations. C'est ici l'élément décisif : la fréquence et la virulence des catastrophes qui dans un court laps de temps fauchaient et décimaient des masses humaines déjà réduites par la marche régulière de la mortalité. Trois sources principales à l'origine de ces désastres : la guerre, les épidémies, la famine. La guerre, moins meurtrière par ses combats que par les pillages qu'elle entraîne, ruine les campagnes où le paysan voit disparaître ses maigres réserves, son blé mangé en herbe. La guerre de Trente Ans bloque pendant un siècle les chances de l'Allemagne. Un quartier d'hiver des troupes impériales et suédoises emporte la moitié de la population de Brandebourg, les deux tiers en Poméranie, 80 % dans le Mecklembourg. Les épidémies sont encore plus implacables car elles ne connaissent ni frontières ni partis et déciment le continent entier [1]. La dernière grande peste en France date de 1721, elle emportera à Marseille-Toulon 60 % de la population. La famine enfin, motif premier d'un état sanitaire déplorable et de l'extrême sensibilité aux maladies, est aussi familière sous Louis XIV qu'elle l'était dans l'Égypte des pharaons. Depuis le fond des temps c'est la hantise quasi quotidienne, se manifestant souvent avec paroxysme, toujours présente même lorsqu'à des moment heureux elle n'est que simple disette ou encore « cherté ». S'arrêtant à la fin du XVIIIe siècle, les années noires marquent 1630 puis 1649, 1652, trois années terribles où le bon monsieur Vincent s'effraye de l'anthropophagie; un répit puis c'est 1661, la famine du siècle, un ravage humain qui ne se renouvellera qu'en 1709, dernière famine généralisée en France. C'est à ce fléau et à son cortège de deuils que l'Espagne doit d'avoir perdu en soixante ans, de 1590 à 1650, un tiers de ses habitants, 3 millions sur 9 et, avec cette incroyable saignée, son rôle jusqu'alors de premier plan en Europe.

1. Nous avons vu antérieurement les ravages de la peste noire pendant tout le XIVe siècle.

L'obstination de la vie

En face de cette obsession de la mort, une obstination non moins égale de la vie ; la fécondité, elle aussi, a un haut niveau : de l'ordre de 40 à 45 ‰, légèrement supérieure au taux de mortalité moyen. Par rapport à ce dernier son caractère le plus significatif est sa relative stabilité. A travers toutes les épreuves, le taux de fécondité reste à peu près égal à lui-même alors qu'au contraire la mortalité, dont le taux moyen reste élevé, connaît à intervalles réguliers des pointes très fortes.

Cette fécondité était loin du plein emploi de la fécondité physiologique, et, contrairement à une opinion largement répandue, les grandes familles sont rares. Chaque femme donnait naissance à 5-6 enfants contre les 12, 16 ou 18 enfants que l'on aurait pu attendre de ménages qui, dans leur immense majorité, ignoraient ou ne pratiquaient aucun contrôle volontaire de leur fertilité. C'est qu'en effet la fécondité dite naturelle était aussi limitée indirectement par la coutume, la tradition, les mœurs, la pratique religieuse et ceci pour deux raisons principales. En premier lieu les naissances sont espacées par de longs intervalles, de l'ordre de 26 à 30 mois. C'est ici la pratique quasi universelle de l'allaitement qui est à mettre en cause et qui, en retardant considérablement la possibilité d'une nouvelle conception, présente une première forme inconsciente mais effective de ralentisseur démographique. En second lieu, et contrairement aussi à une opinion tenace bien qu'il n'y eût relati-

TAUX DE MORTALITÉ

La dénomination générique de taux de mortalité englobe tous les taux servant à mesurer la fréquence des décès au sein d'une population ou d'une sous-population. En l'absence d'indications contraires, l'expression taux de mortalité doit cependant s'entendre au sens de taux brut de mortalité, ou plus précisément de taux brut annuel de mortalité générale. On désigne ainsi le quotient du nombre annuel de décès observé dans une population par l'effectif moyen de cette population au cours de la période d'observation. Ce taux est généralement observé pour mille habitants. Parmi les taux de mortalité calculés pour les sous-populations, mentionnons les taux de mortalité par sexe et par groupes d'âges. L'expression taux de mortalité par âge revêt d'ordinaire une signification analogue, car il est rare de calculer des taux de mortalité par années d'âge, voire par groupes d'âges, sans distinction de sexe.

TAUX DE NATALITÉ

On appelle en général taux de natalité un taux calculé en rapportant un nombre de naissances observé dans une population à l'effectif total de cette population. Employée sans autre précision, l'expression taux de natalité désigne le taux brut de natalité, ou plus précisément le taux brut annuel de natalité effective, obtenu en divisant le nombre annuel des naissances vivantes, par l'effectif moyen de la population. On précise taux de natalité totale lorsqu'on prend en considération les naissances totales. Les taux de natalité sont généralement exprimés pour mille habitants. Faute de données suffisantes sur le mouvement des naissances, on s'efforce parfois de tirer de la structure par âge des populations des indications sur leur fécondité, par le truchement d'un rapport enfants-femmes, obtenu le plus souvent en divisant l'effectif sexes réunis de l'un des groupes d'âges 0-4 ou 5-9 ans, par l'effectif des femmes en âge de procréation.

SOURCE : *Dictionnaire démographique*. Commission du Dictionnaire démographique de l'Union internationale pour l'étude scientifique de la population.

vement pas plus de célibataires qu'aujourd'hui, on se mariait tard : les garçons à 26-28 ans, les filles à 23-25 ans. La mortalité venant tôt rompre les unions, la durée moyenne des mariages ne dépassait pas une quinzaine d'années.

En temps normal, au-delà de tous ces ajustements, la fertilité tendait à l'emporter sur la mortalité. Puis ce surcroît était emporté par l'une des offensives de la famine ou de la peste et le mouvement en avant reprenait jusqu'à un nouvel assaut. Que ces populations aient adopté inconsciemment une forme involontaire de freinage à leur immense pouvoir biologique s'explique par l'inutilité qu'il y aurait eu à mettre au monde davantage d'enfants dont le sort irrémédiable était une condamnation à brève échéance. D'un autre côté, l'impuissance fondamentale de ces populations à lutter contre la mort les incitait à ne jamais relâcher cette pression qui, au prix de l'inéluctable élimination d'un véritable surplus humain, était la condition même de leur survie.

L'évolution démographique « naturelle » se résume donc à moyen terme en un équilibre précaire, une stabilité fragile entièrement commandée par les fluctuations désordonnées d'une seule variable : la mortalité. Si d'une part la société souffre de traumatisme démographique dont nos pires épreuves ne sont que de pâles images, d'autre part, elle se révèle finalement rigide, peu sensible à ces bouleversements grâce à une incroyable facilité de récupération. Le fléau n'a pas plutôt terminé son carnage que les vides tendent à se combler, les blessures à se refermer. Le temps perdu est vite regagné, le recul absorbé et de nouveau est atteint le sommet de cette crête de peuplement, ce plafond, au-delà duquel la mort avec toute certitude manifeste son empire. C'est qu'aussi bien ce régime de population est la conclusion sur le plan démographique d'une véritable cristallisation économique qui interdit toute expansion. Sur de longues périodes, à l'échelle séculaire, la production agricole est stagnante et le niveau des subsistances étale. Cette quasi-immobilité de la technique dans le cadre d'une économie purement agricole la rend incapable de répondre à la progression potentielle de la population.

Le modèle démographique « primitif » avec ses caractéristiques principales : primauté absolue du niveau des subsistances pour définir le volume numérique global de la population; intervention décisive et aveugle de la mortalité pour adapter ce volume à ce niveau face à une pression biologique qui s'exerce sans relâche, rapprochent jusqu'à les confondre l'homme et l'animal. A une seule exception près et de taille qui différencie d'une façon décisive ces deux formes de la matière vivante : la possibilité d'un progrès technique permet un bond en avant dont la révolution néolithique a apporté, il y a bien des millénaires, un premier et éclatant exemple.

Mais, pour l'essentiel, l'espèce humaine se conforme au modèle d'adaptation au milieu commun à toutes les espèces vivantes. Pour toutes, outre l'implacable limite des ressources disponibles, le trait dominant est l'absence totale d'une régulation par l'intérieur des deux variables principales : la fécondité et la mortalité. L'homme « naturel » n'a pas mieux réussi que ses concurrents à les dominer.

C'est en observant cette réalité que Malthus a tenté, pour la première fois, d'exprimer une loi de population. L'un des

TAUX DE FÉCONDITÉ

La dénomination générique de taux de fécondité s'applique à tous les taux calculés en rapportant, à l'effectif d'un groupe d'individus de même sexe en âge de procréation, un nombre de naissances observé dans ce groupe. Sauf indication contraire, ces taux sont des taux de fécondité féminine, c'est-à-dire des taux calculés pour des groupes de femmes; mais on calcule parfois aussi des taux de fécondité masculine analogues. Les taux de fécondité sont généralement exprimés en naissances pour mille individus de telle catégorie — de sexe, d'âge, de situation matrimoniale, etc. Lorsque aucune distinction n'est faite suivant la légitimité des naissances ni la situation matrimoniale des personnes, on obtient ce qu'on appelle des taux de fécondité générale. Ces différents types de taux de fécondité peuvent être calculés, soit pour l'ensemble de la période de procréation, soit par âge; on obtient alors respectivement, soit des taux totaux de fécondité, ou taux de fécondité tous âges, soit des taux de fécondité par âge. Dans l'étude de la fécondité selon la durée du mariage, on parle volontiers de la productivité des mariages. Celle-ci peut s'étudier à l'aide de taux de fécondité par durée du mariage. Par sommation d'une série de tels taux, étendue à l'ensemble des durées de mariage, on obtient ce qu'on pourrait appeler un indice synthétique de fécondité des mariages. Des séries de taux semblables, et les indices synthétiques correspondants, sont éventuellement calculés sur différents âges au mariage. En rapportant le nombre des naissances vivantes enregistrées pendant une certaine période au nombre de mariages enregistrés au cours de la même période, on obtient un nombre moyen de naissances par mariage qui est parfois utilisé comme indice de la fécondité des mariages.
Dans la terminologie technique moderne, les démographes emploient les mots fertilité et stérilité pour désigner respectivement la capacité et l'incapacité de procréation, et les mots fécondité et infécondité pour se référer à une procréation effective ou à une absence de procréation. Lorsque cette dernière est due à la volonté des couples de ne pas ou de ne plus procréer, on parle d'infécondité volontaire [1].

1. On notera l'interversion de sens qui s'est produite entre mots anglais et français homologues : il convient généralement de traduire « fertility » par fécondité et « fecundity » par fertilité.
SOURCE : *Dictionnaire démographique*, op. cit.

derniers témoins de l'universalité de ce régime démographique, il en a exprimé lucidement les contraintes dans une saisissante synthèse. Il constate la tendance dans tous les temps et chez tous « les êtres vivants à accroître leur espèce plus que ne le comporte la quantité de nourriture qui est à leur portée ». Dans une perspective dynamique, la population tend à croître suivant une progression géométrique et les subsistances suivant seulement une progression arithmétique. En face de cette double virtualité Malthus a parfaitement décrit l'action de ce qu'il a nommé les obstacles répressifs : la famine, les épidémies et la guerre dont personne n'avait mieux perçu avant lui, outre la douloureuse efficacité, l'impitoyable nécessité.

Au moment même où Malthus codifiait les données majeures du régime de population primitif et dénonçait ses malédictions, une modification en profondeur s'amorçait et se dessinait sous ses yeux sans qu'il ait jamais perçu l'apparition de ce nouveau type d'évolution démographique.

L'émancipation démographique

Les acteurs restant les mêmes, le jeu de la fécondité et de la mortalité va s'organiser différemment. Le résultat, en un premier stade, sera l'émancipation démographique de notre sous-continent qui se manifestera en un siècle et demi par la multiplication par 6 de sa population.

Que s'est-il passé?

On peut situer au milieu du XVIIIe siècle le déclenchement de cette transformation en profondeur des forces démographiques, du processus cumulatif qui allait permettre une rupture de plus en plus prononcée avec le régime démographique traditionnel et un essor prodigieux dans un même élan de la population et de l'économie. Vers 1740, en Angleterre d'abord, dans le reste de l'Europe ensuite, un double phénomène apparaît qui distinguera ce dernier demi-siècle du précédent.

En premier lieu, une baisse continue et quasi régulière de la mortalité qui passe de 38,5 ‰ en 1740 à 27,1 ‰ en 1880. En second lieu, et c'est peut-être là le plus important, l'évolution démographique n'est plus dominée par les diverses catastrophes qui, à travers les pointes de mortalité, brisaient précédemment son dynamisme. Il y eut pourtant pendant toute cette période des crises alimentaires, des épidémies aussi. Pour la première fois ces crises ne se transforment pas en hécatombes et les subsistances ne commandent plus les mouvements de population. Si la mortalité diminue, la fécondité, elle, n'est pas affectée et demeure ce qu'elle fut en tout temps : à un très haut niveau. La levée progressive de l'hypothèque de la mortalité et le maintien de la pression constante de la fécondité provoquent une croissance rapide de la population. L'Angleterre passe de 6 à 9 millions d'habitants durant le XVIIIe siècle, le gain se situant presque intégralement dans la seconde moitié du siècle. Un graphique illustre la première étape de cette révolution démographique qui va recouvrir l'Europe entière. Il résume la marche de la population anglaise de 1740 à 1800 et répond directement à notre propos.

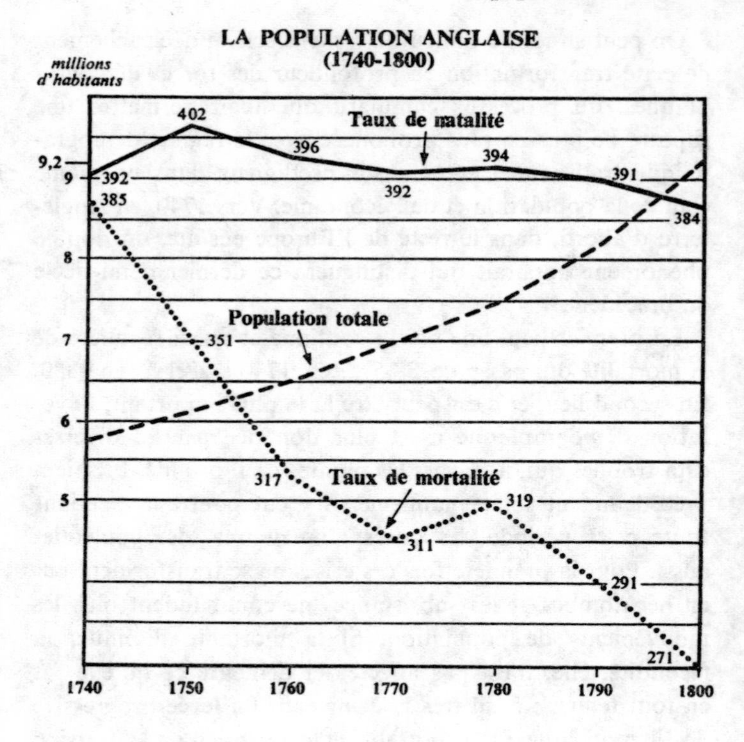

Nouvelle dans ses formes, la croissance de population issue de la révolution démographique est aussi originale dans ses causes. Le XVIIIe siècle est un siècle de perfectionnement des procédés d'exploitation de la nature et d'inventions dans des directions toutes nouvelles. De ce fait, et tout d'abord, les disponibilités alimentaires augmentent considérablement, la hantise de la subsistance s'atténue et la révolution agricole se développe, condition préalable indispensable à la révolution industrielle qui s'amorce, elle aussi, vers la même époque. L'ère démographique nouvelle a été précédée de deux ou trois décennies d'une amélioration progressive de la masse des subsistances et, de 1710 à 1790, on note en Angleterre une augmentation sensible de la production agricole. De 1750 à 1800 les rendements anglais en blé augmentent autant que dans tout le siècle précédent, 1650 à 1750, et, dans le cours du XVIIIe, la productivité du travail agricole s'accroît de 90 %. L'industrie quant à elle démarre et jette les bases de son expansion future tandis que s'engage le processus de l'urbanisation. De 1735 à 1760 l'industrie anglaise consomme deux fois plus de charbon, 30 % de fer en plus et pour le coton, produit nouveau, la progression est de l'ordre de 600 %.

En quatre-vingts ans l'Europe entière est transformée par la révolution démographique qui s'étend également aux noyaux de population de souche européenne d'outre-Atlantique. Une phase chronologique est entamée où se précisent les termes du déséquilibre positif apparu dès 1750, les conditions de la croissance.

Pendant la plus grande partie du XIXe siècle on verra disparaître définitivement les formidables oscillations qu'engendraient les ravages de la mortalité et se maintenir, outre la régularisation de son cours, une baisse lente mais continue de son taux. Cette double conquête s'affirme par la progression continue, elle aussi, d'un certain mieux-être. Le revenu national global de l'Angleterre qui s'est accru annuellement de 1,1 % jusqu'en 1850 augmentera de 2,3 % par an jusqu'en 1900. La médecine sort de son archaïque inefficacité et commence à jouer un rôle effectif de protection et

TAUX DE REPRODUCTION

On étudie sous le nom de reproduction le processus de renouvellement des générations au sein des populations, considérées comme des ensembles renouvelés au sens mathématique de l'expression. On parle de reproduction brute lorsqu'on fait abstraction de la mortalité avant la fin de la période de procréation, et de reproduction nette dans le cas contraire.

Les indices de reproduction les plus usités sont dénommés taux de reproduction. On les calcule en rapportant à l'effectif initial d'une génération féminine ou masculine, réelle ou fictive, l'effectif des nés vivants du même sexe qui en sont issus. Sauf indication contraire ces taux sont des taux de reproduction féminine, représentant un taux moyen de naissances féminines par fille nouveau-née de la génération procréatrice. Les taux de reproduction sont fréquemment exprimés pour cent.

Le taux net de reproduction, ou taux de reproduction nette, indique alors combien 100 filles nouveau-nées mettraient de filles au monde, dans les conditions de mortalité et de fécondité envisagées. Parallèlement, le taux brut de reproduction, ou taux de reproduction brute, indique combien 100 filles nouveau-nées mettraient de filles au monde, dans les conditions de fécondité envisagées, en l'absence de toute mortalité depuis la naissance jusqu'à la fin de la période de procréation. C'est en réalité un indice de fécondité, matérialisant l'incidence de ce facteur dans la reproduction. A défaut de données suffisantes sur la fécondité par âge, on peut tenter d'évaluer le taux net de reproduction en calculant la valeur du rapport enfants-femmes, d'une part dans la population étudiée, d'autre part dans la population stationnaire correspondant à la mortalité de ladite population, et en divisant la première des valeurs ainsi obtenues par la seconde.

SOURCE : *Dictionnaire démographique*, op. cit.

de sauvegarde de la santé au début du siècle, après la découverte du vaccin par Jenner (1798).

En moins d'une décennie, la variole est vaincue et, avec elle, la cause principale de la mortalité infantile. Cette maladie était en effet responsable de 30 % des décès d'enfants d'un à quatre ans. Très rapidement la vaccination est adoptée dans les pays que la révolution industrielle était loin encore d'avoir touchés.

La natalité quant à elle demeure élevée et, contrairement à la mortalité, ne subit qu'une baisse insignifiante. Ces deux caractéristiques principales se maintiendront jusqu'en 1880 environ définissant ainsi une sorte de palier démographique. Des naissances toujours aussi nombreuses, des morts de plus en plus réduites et la croissance de la population continue à s'affirmer.

En 1880, notre pionnière, l'Angleterre, a un taux de mortalité de 21,4 ‰, contre 26,9 ‰, en 1800, un taux de natalité de 35,4 ‰, contre 37,3 ‰, et un taux de reproduction de 1,4 %.

La décennie 1880-1890 marque une césure de taille et une étape nouvelle dans le déroulement de la révolution démographique. Sauf quelques cas aberrants, dont le principal est celui de la France, les nations européennes avaient conservé jusqu'alors une haute fertilité qui n'avait pas décroché des valeurs enregistrées dans les siècles antérieurs. La situation va brusquement se modifier et la natalité amorcer une courbe descendante parallèle à celle de la mortalité mais avec plus d'un siècle de retard. L'Angleterre reste encore ici notre modèle et voit sa fertilité s'affaisser : 30,8 ‰ en 1900, 24,5 ‰ en 1912, 18,3 ‰ en 1925, 14,7 ‰ en 1935. En France, le taux de 30 ‰ fut atteint déjà en 1830, avec soixante-dix années d'avance sur l'Angleterre par conséquent, en Suède vers 1875, en Allemagne et aux États-Unis en 1900, en Italie en 1925 et en Pologne en 1935.

A la veille de la Seconde Guerre mondiale, la situation démographique en Europe occidentale et aux États-Unis semblait être parvenue à la phase ultime de la révolution démographique. La natalité et la mortalité avaient toutes deux atteint de très bas niveaux : plus ou moins 15 ‰, la natalité dépassant de peu la mortalité; l'espérance de vie à la naissance avait plus que doublé et dépassait soixante ans, le taux de reproduction était tout proche de l'unité, c'est-à-dire que le renouvellement des générations était tout juste assuré. L'écart entre les deux variables majeures, naissances et morts, étant comblé, la croissance était stoppée. Si la population globale continuait cependant à augmenter légèrement, c'est en vertu de l'accroissement antérieur qui amenait aux âges « reproductifs » une importante masse d'adultes.

Après la guerre la population européenne, et davantage encore la population américaine, eurent un sursaut de fécondité. Une reprise sensible de natalité s'étendit sur près de vingt années redonnant une nouvelle jeunesse à tous ces pays. Depuis onze ans cette flambée est pratiquement retombée et le taux de reproduction est tout proche de nouveau de l'unité. Nous reverrons plus loin ces toutes dernières et curieuses années.

Une stabilité d'un nouveau genre

Après deux siècles, cette révolution amorcée en Angleterre a gagné, ou est en train de gagner l'univers et nous avons sauté d'un âge démographique à un autre. Au-delà des caractéristiques qui les différencient absolument et assurent à chacun son originalité propre, un trait commun cependant les rassemble. Comme le régime primitif, le régime démographique contemporain tend vers un équilibre à peu près constant de la population, une stabilité de son nombre à long terme. L'expansion des populations européennes dans cette seconde moitié du XXe siècle est très réduite par rapport à celle du XIXe siècle mais très comparable par contre à celle de l'Europe de 1750. Le taux moyen d'accroissement de l'Europe occidentale en 1975-1980 sera de 0,4 %, le même effectivement que celui du tournant du XVIIIe siècle. Après la libération du potentiel de croissance, l'explosion numérique qui en résulta, la vague d'émigration qu'elle provoqua, l'Europe retourne vers la stabilité numérique.

Ici se termine l'analogie. Cette conséquence identique des deux régimes a été provoquée par des mécanismes tout à fait différents.

Si précédemment la mortalité et la natalité étaient toutes deux à des niveaux élevés, dépassant 30 ‰, ces deux variables sont maintenant à un très bas niveau. En 1970, les populations de souche européenne ont, en moyenne, un taux de mortalité d'environ 11,5 ‰, un taux de natalité de 17 ‰, une espérance de vie à la naissance de soixante-dix ans, un taux de reproduction de 1,20 %. L'effet le plus notable de ce bas étiage est que les populations de ce type ne disposent plus d'un potentiel substantiel d'accroissement. A l'intérieur de la stabilité primitive il existait par contre une réserve biologique importante grâce à la fécondité élevée.

D'autre part, la règle du jeu démographique s'est complètement modifiée. Les changements de volume commandés autrefois par la mortalité et ses énormes variations d'amplitude sont gouvernés aujourd'hui par l'évolution de la fertilité. Le déplacement dans un sens ou dans un autre du taux des naissances assure seul l'orientation de la population et constitue désormais la variable dynamique du système. La diminution de la mortalité s'est encore accentuée depuis la fin de la Seconde Guerre mondiale, principalement celle de la mortalité infantile (France : 72 ‰ en 1935-1937; 16 ‰ en 1972). Elle est telle qu'au stade actuel de nos connaissances et de nos équipements, elle semble avoir atteint une limite. Des gains sont envisageables mais ne sauraient avoir de répercussions statistiques considérables. D'un autre côté, nous avons perdu jusqu'au souvenir des cataclysmes qui décimaient nos ancêtres et les progrès dans notre lutte contre la mort ne furent que très provisoirement suspendus par l'épisode pourtant très meurtrier de la Seconde Guerre mondiale.

La domination sur la mort, acquise par l'émancipation économique et la découverte de techniques spécifiques, n'était que le premier pas sur la voie de la maîtrise humaine du contrôle de sa masse. Le second pas, presque fatal, était de retirer la vie aux forces naturelles pour la plier à l'action volontaire de l'homme, de la libérer complètement de l'aveugle loi de population qui la dominait.

L'instauration d'une intervention réfléchie était évidemment nécessaire alors que disparaissaient les conditions qui, pendant des millénaires, avaient impérativement requis le maintien d'une forte fécondité. Dans un calcul que nous avons déjà évoqué, M. Bourgeois-Pichat a démontré que, si la fécondité française était restée jusqu'à nos jours ce qu'elle était au XVIIIe siècle, la mortalité suivant au contraire la baisse réellement observée depuis deux siècles, la France aurait compté, en 1950, 440 millions d'habitants! L'énoncé de ce seul chiffre suffit à expliquer, outre les multiples causes qui ont été légitimement envisagées, l'apparition puis la diffusion de la fécondité dirigée. Ce contrôle s'est effectivement instauré par un changement rapide et massif du comportement des individus et des couples dans leur attitude devant la vie, par leur intervention de plus en plus efficace. En un demi-siècle les techniques contraceptives se sont répandues et la limitation des naissances a entraîné une chute du taux de natalité. C'est la manifestation à l'échelle du grand nombre d'un tournant sociologique fondamental, d'une révolution dans les mœurs d'une portée aussi considérable que la révolution industrielle. Ce tournant nous est encore obscur aujourd'hui car il est l'expression d'un phénomène collectif, d'une volonté sourde et silencieuse aux innombrables racines, qui semble échapper à la conscience de l'individu pour ressortir, plus valablement semble-t-il, d'un climat, d'un état d'esprit général.

Quoi qu'il en soit, avec le contrôle de la fertilité, la seconde variable du nouveau régime démographique est maîtrisée et les deux manettes essentielles du moteur démographique définitivement au pouvoir de l'homme. Le frein et l'accélérateur sont maintenant indépendants de l'action des facteurs extérieurs et notamment de la domination des ressources. Les données économiques ne déterminent plus les tendances démographiques. A l'heure actuelle, l'indéniable accélération des développements techniques dans tous les domaines n'a plus aucune influence directe décelable sur les mouvements de la population.

L'autonomie du régime démographique contemporain constitue une rupture complète avec le passé historique et la disparition de notre implacable sujétion à la nature. Aussi bien, les mouvements actuels de la démographie n'obéissent-ils plus au modèle d'évolution observé et décrit par Malthus, à aucune « loi » de population. Cela explique dans une large mesure les difficultés que rencontrent les démographes lorsqu'ils se hasardent à scruter l'avenir et à établir des prévisions.

Les étapes de la révolution démographique

Le passage d'une forme d'équilibre ancienne à une forme d'équilibre nouvelle constitue toute l'histoire de la révolution démographique, au terme du moins qu'elle atteint aujourd'hui. Le mouvement entre deux états de stabilité démographique — analogues dans leur résultat bien que tout à fait dissemblables dans leurs causes — se résume en une flambée de croissance qui a considérablement augmenté le niveau global des populations considérées. La poussée d'expansion démographique qui s'étend de pays à pays, puis de continent à continent, a connu partout un déroulement analogue et cette uniformité permet de distinguer plusieurs phases dans cette évolution.

Dans une première phase, celle du régime démographique « primitif », la natalité et la mortalité, toutes deux de valeur élevée, sont subies. Bien que le potentiel d'accroissement soit considérable, le taux réel d'augmentation est faible sinon quasi nul et la mortalité, avec tous ses accidents, règle les variations numériques de la population dont le plafond est fixé par le montant des ressources. La seconde phase est celle durant laquelle la mortalité commence à fléchir : la fécondité restant élevée, cette réduction entraîne une croissance rapide de la population. En un second temps la natalité fléchit elle aussi et la croissance se ralentit. La troisième phase souvent dénommée de « maturité » démographique, paraît atteinte aujourd'hui dans la plupart des pays d'économie développée. Là, mortalité et natalité ont des valeurs à peu près égales et très basses et toutes deux sont contrôlées par l'homme. La fécondité est devenue la variable dynamique. Parvenue à cette étape la population est de nouveau stationnaire.

Graphiquement les divers stades du développement démographique peuvent être ainsi représentés :

LA RÉVOLUTION DÉMOGRAPHIQUE

Evolution des taux de natalité, de mortalité et de la population totale

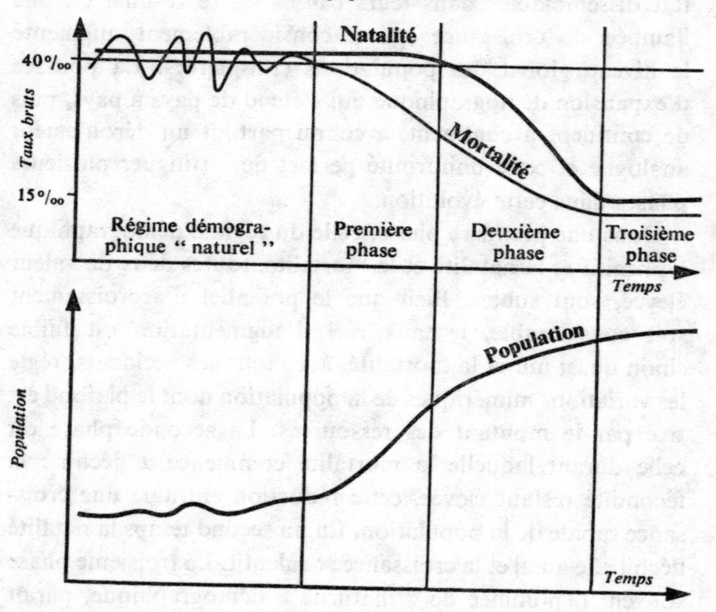

SOURCE : Ph. Mouchez, *Démographique*, PUF, 1964, p. 224.

Aussi bien les démographes, après avoir constaté puis analysé ce processus, ont-ils finalement rationalisé les stades successifs du développement de la révolution démographique en une théorie, celle de la *transition démographique :* passage de taux vitaux élevés à des taux bas à travers une multiplication importante et restant acquise en fin de course. Le ralliement quasi général à cette thèse n'aurait pas été possible si elle ne rendait pas compte effectivement, jusqu'à ce jour, du modèle de développement suivi par tous les ensembles humains qui ont, à un moment ou à un autre, secoué le joug du régime démographique d'origine. C'est cette conformité à la succession réelle des faits dans le temps qui donne à la thèse de la transition démographique toute sa force.

La théorie élaborée aux environs de 1930 par deux démographes américains, Warren S. Thompson et Frank W. Notestein, présente l'essai de synthèse le plus cohérent pour interpréter l'essentiel des changements intervenus en démographie depuis que la doctrine de Malthus et ses lois ont perdu leur vertu d'explication en même temps que le régime démographique primitif, dont elles rendaient si bien compte, s'évanouissait. La carence même de l'analyse malthusienne à appréhender le régime nouveau n'est clairement apparue que bien tard, lorsque le mouvement démographique sembla arrivé au terme qui en éclairait le sens.

Outre sa vertu descriptive, la théorie de la transition fournit également une classification logiquement utile. De plus les liens très étroits décelés entre la marche conjointe du processus de modernisation économique, social, etc. et celle du processus démographique conduisent en premier lieu, bien qu'avec d'importantes lacunes, à une tentative d'explication causale *post factum*. En second lieu la théorie de la transition, conçue comme un instrument d'analyse, entraîne à dépasser le passé et même le présent pour tenter de prévoir le futur démographique du monde entier. Reprenant sous cet angle les trois phases que la théorie a distinguées et que nous venons de définir, il est loisible de ranger toutes les nations du globe suivant le stade de développement démographique qu'elles ont atteint : pré-transition — en cours de tansition — post-transition.

Le classement a été fait et l'on a constaté que, à l'exception de groupes très limités, il n'y a pas d'ensemble important de population qui n'ait maintenant dépassé la première phase et ne soit engagé, peu ou prou, dans le second stade, dans la période de transition. La théorie permet ici d'estimer le volume de la croissance future de l'énorme masse humaine dont la mortalité est déjà en déclin alors que la fertilité reste toujours aussi haute. C'est l'une des premières et des plus importantes affirmations de Notestein : « La réponse plus rapide de la mortalité, que celle de la fécondité aux forces de modernisation est probablement inévitable [1] » qui donne tout son sens à l'explosion actuelle de la population mondiale et à l'accroissement qu'elle risque encore d'avoir dans les trente prochaines années. Cependant cette pierre angulaire de la construction démographique a subi de rudes assauts au cours de ces dernières années. Non seulement le mécanisme du déroulement de la révolution démographique a été mis en cause mais encore un examen plus précis du phénomène a conduit à réfuter les prévisions qu'il entraînerait — au premier chef les options politiques et les conséquences pratiques qu'on en a tirées pendant plus de trente ans. On examinera plus loin cette récente évolution.

1. Cité par *The Study of Population*, p. 93.

Le tiers monde en transition

Comme le laissaient prévoir les chiffres cités antérieurement (p. 50, il semble que le tiers monde ait amorcé lui aussi le grand bond démographique que l'Europe abordait il y a maintenant près de deux cents ans.

Au départ nous constatons une baisse de mortalité qui annonce le démantèlement du régime démographique « primitif ». Le taux de mortalité en Inde était de 44 ‰ en 1920 et de 31 ‰ en 1940. L'évolution a été générale et dans de très nombreux pays d'Asie, d'Amérique latine, d'Afrique, la mortalité suit une courbe de même amplitude. L'espérance de vie à la naissance accompagne le mouvement et s'accroît en vingt ans environ à peu près partout de dix ans : de trente-trois à quarante-trois ans.

Pour tous ces pays, durant les décennies 1920-1940, les taux de natalité restent très élevés, plus élevés peut-être que ceux du régime « primitif », plus élevés en tout cas qu'ils n'étaient en Europe avant le début de la régression de la natalité. Leur moyenne se situe aux environs de 38 ‰ avec des pointes significatives comme au Guatemala : 48 ‰.

Depuis la fin de la guerre, la baisse de la mortalité s'est encore accentuée sous l'influence prépondérante des efforts des gouvernements en faveur de la santé publique. La lutte contre la malaria a eu par exemple des résultats spectaculaires (Ceylan, 2 750 000 cas en 1950, 442 en 1960). Grâce à ces mesures la chute de mortalité est très rapide et dépasse dans son rythme tout ce que l'Occident avait connu : en dix ans, de 1944 à 1954 : 40 % à Ceylan, 43 % à Porto Rico, 35 % en Égypte, au Venezuela, aux Indes!

Le mouvement continue ces dernières années et la mortalité a été réduite de plus de 40 % entre 1950 et 1965 au Chili et au Japon. En trente-cinq ans le gain de l'espérance de vie à la naissance à Porto Rico a été le même que celui réalisé en Suède sur plus de cent vingt-cinq ans. La natalité, elle, reste stable dans une fourchette de 33-45 ‰ pour la très grande majorité des pays du tiers monde.

On retrouve là, bien qu'amplifié, le même jeu démographique qui caractérisait la première phase de la révolution démographique. Sans aucun doute le tiers monde a basculé hors du régime démographique d'origine et est entré dans le processus de la transition démographique. En fait il y est déjà en plein, comme en font preuve les taux d'accroissement annuel qui dépassent, dans la plupart des pays, 2,50 %. Une question fondamentale se pose : à quel moment ces pays en expansion accélérée atteindront-ils la deuxième phase de la transition, celle où la fécondité commence à diminuer et tend à rejoindre les très basses valeurs atteintes par la mortalité? Si le modèle de la transition démographique, tel que la théorie démographique l'a établi, reste valable dans son déroulement, à la fois sous l'angle mécanique et chronologique, la réponse est peu optimiste et ceci pour deux raisons.

La première est que les projections à moyen terme, sur les trente prochaines années, ne permettent pas de croire en une diminution sensible de la pression expansionniste actuelle. Les prévisions les mieux établies, celles de l'ONU que nous avons précédemment examinées, accusent au contraire son augmentation. Même dans le cas de la variante la plus faible, l'augmentation de population en chiffres absolus continue d'être de plus en plus importante d'une décennie à l'autre : 550 millions pour les années 60; 600 millions pour les années 70; 640 millions pour les années 80; 670 millions pour les années 90.

Dans la perspective la plus favorable, une augmentation considérable de la population mondiale reste la donnée la plus sûre des trente années à venir. En admettant que la deuxième phase de la transition soit réellement atteinte aujourd'hui, l'avenir au-delà de 2000 serait plus clair mais la période intermédiaire n'en sera pas moins très difficile à assumer. L'histoire des pays développés apporte cependant l'exemple d'une transition heureusement accomplie, l'assurance d'une réussite. Cependant l'optimisme fondé sur une croyance en la fatalité de l'histoire semble ici erroné. La référence à l'Europe n'est pas suffisante et rien ne nous garantit que l'évolution du tiers monde empruntera obligatoirement les voies européennes.

Bien des différences dans la situation de départ font penser, en effet, le contraire : l'originalité et la spécificité des problèmes propres au pays du tiers monde annoncent un type d'évolution original.

La rapidité de la mutation du régime démographique traditionnel des pays en voie de développement diffère en premier lieu de la relative lenteur avec laquelle ce mouvement s'est déroulé en Europe. La population européenne a mis plus d'un siècle et demi pour doubler selon un rythme d'accroissement modéré n'atteignant pas 1 %. Le contraste est frappant avec la soudaineté et la brusque accélération de la croissance démographique des pays du tiers monde. Leurs taux d'accroissement dépassent 2,5 % et même 3 % par an, soit un rythme trois fois plus rapide qui conduit à des doublements de population en moins de vingt-cinq ans. Si l'expansion démographique européenne s'est en quelque sorte diluée sur plus de deux siècles, celle des pays sous-développés se concentre en quelques dizaines d'années.

Cette brusque accélération du stade initial de la croissance condense sur une courte période l'arrivée des surplus démographiques et complique singulièrement les problèmes que posent ces apports. A la marée progressive que l'Europe a connue s'oppose une lame de fond d'autant plus difficile à contrôler et à observer qu'elle s'accroît par l'importance numérique des masses humaines impliquées. Ce n'est plus par dizaines de millions que se comptent les populations au stade initial de la croissance, mais par centaines de millions et même par milliards!

Outre l'accélération de l'histoire et l'ampleur numérique des masses de départ, d'autres facteurs défavorables différencient encore l'exubérance démographique du XXe siècle et celle de l'Europe à la fin du XVIIIe siècle. En dehors des chances historiques dont l'Occident a profité et qui ne se répéteront pas (l'émigration de dizaines de millions d'hommes et l'existence d'immenses pays neufs), des risques nouveaux de déséquilibre menacent les pays du tiers monde. En Europe, la lente maturation du passage d'un type de stabilité à un autre ne fut possible que grâce à la marche relativement harmonieuse du progrès économique et du progrès démographique. Dès maintenant il existe dans les pays en voie de développement une rupture entre ces deux éléments : si la durée de vie et la mortalité de ces pays sont celles de la fin du XIXe siècle en Europe, la natalité est celle de la France de l'Ancien Régime et le niveau de vie environ deux fois plus faible que celui de la France en 1780. Sur ce point la situation des pays sous-développés paraît échapper à une stricte analyse malthusienne. Pour eux aussi le dilemme entre ressources et population semble provisoirement aboli : sans augmentation notable des ressources, la population croît en de fortes proportions alors que l'évolution économique et l'évolution démographique devraient aller de pair. Cela n'est pourtant vrai qu'à court terme car l'impératif économique commande toujours à long terme la réalisation effective de l'énorme potentiel démographique de ces nations. Actuellement, la distorsion est réelle. La démographie s'emballe sans que cesse la stagnation économique.

Voilà sans doute la différence majeure entre l'Europe de la fin du XVIIIe siècle et les pays sous-développés d'aujourd'hui. Si l'expansion européenne a été le fruit des progrès conjoints de l'économie, de la technique et de la science, le résultat d'une lente élaboration interne obéissant à ses propres nécessités, l'expansion démographique du tiers monde est due à l'application de techniques médicales très efficaces et d'un coût minime venues de l'extérieur, qui ne requièrent pas une participation active des populations impliquées et qui se greffent sans difficultés majeures sur le cadre inchangé d'économies et de mentalités encore primitives. Les vaccinations, les antibiotiques, la lutte contre les insectes et les parasites, etc. ont beaucoup fait diminuer la mortalité. Loin d'améliorer le niveau de vie de ces populations, ces techniques le réduisent encore et, si un grand nombre d'hommes vivent plus longtemps, ils vivent aussi plus pauvrement. Du complexe socio-économique qui forme la civilisation moderne, ces pays n'ont absorbé que la partie la plus immédiatement et la plus facilement assimilable. Les effets démographiques de cette greffe partielle ont été prodigieux et d'autant plus graves qu'un seul élément du développement est mis en jeu. Les autres composantes de l'ensemble « développement » n'ont pas été réunies. Les structures techniques, économiques et sociales ne sont pas encore touchées par la greffe de civilisation imposée de l'extérieur qui n'a pris que dans un seul secteur.

On peut encore supposer que, par cette entrée dans le régime démographique nouveau, les pays du tiers monde seront irrésistiblement conduits à amorcer la révolution économique qu'il impose. Mais le démarrage du progrès économique n'est possible que grâce à l'accumulation de capital, à l'abstention provisoire de consommation en faveur de l'investissement qui permettra une consommation accrue dans l'avenir. Comment rogner dès maintenant — du moins dans les pays les plus peuplés — sur une consommation déjà réduite à la portion congrue? D'autre part, les densités de population sont telles dans certains cas — et dans tous les cas le taux de croissance de la population est si élevé — que les ressources limitées qui pourraient être éventuellement utilisées en faveur de l'industrialisation et du progrès économique suffisent à peine à absorber les surcroîts de population. La démographie « galopante » entraîne une surcharge constamment grandissante qui épuise les ressources disponibles.

Si donc une solution économique des problèmes des pays

sous-développés semble très difficile à imaginer, peut-on compter sur la possibilité d'une solution purement démographique? De même que l'expansion démographique occidentale a été freinée, puis pratiquement stoppée, par le contrôle des naissances, de même ne pourrait-on diffuser les techniques contraceptives de la même façon et avec le même succès que l'on a diffusé les techniques de lutte contre la mort ? Les conditions qui assurèrent l'incontestable efficacité de la prévention des naissances en Europe ainsi que l'apparente facilité de l'application de cette technique aux pays sous-développés soulèvent cependant deux ordres d'objections qui réduisent jusqu'à le faire disparaître l'intérêt immédiat de cette solution. En premier lieu et contrairement aux pratiques médicales et sanitaires, la prévention des naissances ne peut être importée et surimposée de l'extérieur. Au lieu de la passivité qu'il suffit d'adopter par exemple en face de l'application de DDT ou du traitement des eaux, le contrôle des naissances demande la participation active et permanente des populations. Il requiert, pour être effectif, une volonté positive, réfléchie et constante de la part des femmes. Il implique en conséquence une véritable révolution dans les mœurs, dans les objectifs sociaux et le comportement quotidien, qui n'est pas encore en vue dans la plupart de ces pays. L'adhésion de la multitude de familles qui serait nécessaire pour donner un véritable sens statistique à ce mouvement ne peut être obtenue par un décret, une décision officielle du législateur. Elle ne peut être en définitive que le résultat d'un accord profond, spontané et convergent de la grande masse des couples qu'aucun acte autoritaire ne saurait remplacer. En second lieu, il convient de se souvenir que la prévention des naissances n'apparut en Europe (sauf en France) qu'un siècle environ après le début de la révolution démographique et en réponse à des motivations d'ordre économique et social. La baisse de fertilité est intervenue à un stade avancé du développement, stade que ces pays sont loin d'avoir atteint, et sous la pression d'impératifs qu'ils ignorent. Il existe sans doute une relation certaine entre l'évolution de la natalité et celle du niveau de vie. Sans pouvoir fixer un seuil chiffré, on sait que le parcours complet du régime dit de transition démographique requiert l'élévation du niveau de vie et que la baisse de fécondité n'intervient qu'après une amélioration sensible de celui-ci. On estime généralement qu'on ne peut espérer l'amorce de la baisse de natalité dans les pays du tiers monde avant que leur revenu par tête ait au moins doublé, résultat difficile à atteindre dans l'immédiat, nous venons de le voir. Autrement dit, la solution démographique n'est envisageable que comme une conséquence de la solution économique et la transition automatique et progressive vers les bas taux de naissance n'est pas une donnée de l'histoire. L'évolution démographique des pays pauvres sera en tout état de cause commandée par le démarrage préalable de l'économie qui seul peut amener et entraîner la baisse de fécondité et l'accomplissement du cycle de la transition.

Un avenir incertain ?

La chute de la mortalité constatée dans la plupart des pays du tiers monde manifeste donc un double phénomène : la fin de la domination quasi universelle du régime démographique primitif ou naturel qui a marqué l'histoire de l'humanité de ses origines jusqu'au siècle dernier, l'entrée de ces pays dans la période de transition démographique. L'Europe les a précédés dans cette voie et l'évolution qu'ils entament tend à suivre le même modèle théorique sous l'influence des mêmes forces. Tout indique cependant qu'il est illusoire de conclure du même coup à une absolue similitude du déroulement de cette marche. Les différences considérables dans le temps, dans l'espace, dans le nombre laissent présager des goulots d'étranglement, des points de blocage, qui compromettent le développement normal du cycle et présentent des problèmes spécifiques.

Aussi bien le modèle de la transition démographique, tel qu'il a été théoriquement élaboré, s'il reste exact dans la description des voies et moyens de la marche vers un nouveau palier de stabilisation, n'est plus adéquat aux phénomènes constatés actuellement. La baisse extrêmement rapide de la mortalité dans les vingt dernières années indique moins une transition qu'une véritable rupture où s'accumulent les effets négatifs. C'est la reconnaissance de cette spécificité qui, dans une large mesure, a provoqué parmi les démographes une inquiétude qui n'a pas manqué de se répandre.

Le fil d'Ariane, aussi ténu fût-il, qui permettait d'espérer la sortie du labyrinthe, semble rompu et la situation démographique du monde contemporain suscite à bon droit les noirs présages de Cassandre.

Tel était effectivement le constat qu'il était possible d'établir il y a une quinzaine d'années et les réactions qu'il entraînait. Bien que ce constat fût loin d'être, à beaucoup près, unanime, le diagnostic d'ensemble était très largement infléchi par cette interrogation sur un avenir incertain. Mais, depuis lors, des signes sont apparus, des mouvements se dessinent, des tournants s'amorcent à tous les horizons de la démographie et qui débordent le cadre de l'analyse et des jugements classiques. C'est à leur recensement que nous allons désormais nous attacher en essayant également de déchiffrer leur sens, d'examiner si la problématique, et le futur démographique avec elle, ne sont pas en train de subir une nouvelle et profonde mutation. Au-delà encore, dans le passé le plus immédiat, la démographie connaît une autre et originale dimension : elle fait son entrée dans la mouvance de la politique internationale et passe du bruit de la science aux fureurs de l'action. En même temps, tout récemment, ce futur démographique dont les traits se dessinaient depuis 1960 se modifie lui aussi; des amorces apparues ont aujourd'hui un sort incertain, d'autres lignes de force inclinent vers des voies encore imprécises, un devenir à jamais problématique.

4

Les nouvelles tendances

Si mutation il y a, elle s'annonce par l'apparition de signes particulièrement remarquables, car ils sont l'amorce de tendances qui, si elles se développaient, pourraient bouleverser nos prévisions, nos projections, la carte du monde démographique en l'an 2000 telle que nous l'imaginons aujourd'hui. Il se peut cependant que ces signes s'atténuent et disparaissent, mais on ne peut toutefois négliger les clignotants qui s'allument çà et là.

A l'accélération sensible de l'évolution des populations, aux transformations brusques qu'elle entraîne, répondent un plus grand raffinement des méthodes de recherche et d'analyse, une précision accrue de l'arsenal « détectif » de la science démographique. Cette évolution provoque une remise en cause permanente elle aussi de la description du monde actuel, des tentatives de description du monde futur. La réponse classique à cette dernière et combien légitime interrogation se révèle de moins en moins sûre à mesure que des voies divergentes et souvent contradictoires se dessinent.

C'est à l'exploration de ces pistes que nous voudrions maintenant procéder, sans dissimuler le côté aventureux de cette recherche. Le but est de cerner le mieux possible les multiples probabilités de l'avenir démographique et d'estimer les chances d'une action capable d'orienter le sens de cet avenir même. Pour ce faire, il faut examiner quelques points de repère, dans le double domaine des faits et des idées, qui paraissent essentiels à notre futur immédiat.

Le nouvel âge démographique en Occident

Le premier de ces points n'est pas celui qu'imposerait l'ordre d'urgence ou le seul souci de l'efficacité. C'est bien en effet du côté du tiers monde que les menaces se précisent. C'est pourtant dans les pays riches occidentaux que se forme en ce moment même le nouvel âge démographique, une nouvelle dynamique de population, à laquelle il convient en premier lieu de s'arrêter. Son originalité absolue mérite réflexion. En outre l'avance chronologique, prise dans le déroulement du développement démographique par l'Europe et ses surgeons, confère à ce nouveau régime le caractère d'un stade ultime, au moins provisoirement, de l'évolution du monde entier. Pour autant qu'un avenir commun, à plus ou moins long terme, soit envisageable, c'est très probablement à l'intérieur de ce groupe de pays que s'esquissent ses grands traits. Il est nécessaire de souligner cependant que ce stade, loin d'être accompli, n'est encore qu'à l'état d'ébauche. Ses traits sont souvent aléatoires et ne s'affirment qu'à travers un mouvement apparemment cahotique dont l'interprétation est, de ce fait, particulièrement difficile.

Pour essayer de lui trouver un sens, il est nécessaire de revenir en arrière et de reprendre l'histoire des pays occidentaux où nous l'avons laissée, à la veille de la Seconde Guerre mondiale.

A cette date, toutes ces nations étaient soumises à un mouvement continu de baisse de la fécondité plus fort depuis la Première Guerre mondiale et qui semblait devoir encore se poursuivre, respectant en cela la tendance fondamentale définie par la théorie de la transition démographique. Gravement touchés par la crise économique qui s'était amorcée dès 1930, les pays occidentaux étaient aussi sur le bord d'une dépression démographique non moins aiguë. La situation de la France était particulièrement grave : en 1938 la balance de population était en déficit de 35 000 unités et 60 départements accusaient un excédent des décès sur les naissances. Partout le tableau était sombre, le taux brut de natalité en Europe occidentale était de 17,3 ‰, le taux net de reproduction inférieur à 1 n'assurait pas le renouvellement des générations. Aux États-Unis, jusqu'alors démographiquement en pointe, les symptômes de déclin étaient les mêmes : le taux brut de natalité des années 1935-1939 étant de 17,2 ‰, le taux brut de reproduction égal à 1. Ces années noires avaient été précédées par un effondrement sans précédent du taux de natalité qui, en sept ans, de 1922 à 1929, avait accusé une baisse de plus de 25 % alors que cette période avait été marquée par une prospérité elle aussi sans précédent. Dans toutes les nations occidentales, le taux de fertilité totale dépassait très légèrement deux enfants par famille, chiffre insuffisant pour permettre à longue échéance une croissance même modérée de la population.

Un tel état de fait qui reposait sur une expérience séculaire et jusqu'alors toujours vérifiée ne pouvait autoriser des prévisions optimistes. La plupart des calculs effectués à cette époque concluaient à un arrêt proche, dans un délai de dix à vingt ans, de l'expansion démographique de ces pays. Pour ne faire état que de celles-là, les projections établies en 1937 par deux excellents démographes américains donnaient un chiffre maximal de population pour les États-Unis de 158 millions d'habitants, chiffre qui devait être atteint en 1980 et s'abaisser ensuite (212 millions d'habitants en 1974).

Fondées sur les calculs les plus sérieux, ces prévisions d'un imminent déclin allaient, à la surprise générale, être complètement démenties dans les années 40. Dès la guerre les taux de natalité augmentent légèrement pour connaître une ampleur absolument inattendue dans l'immédiat après-guerre. La fin des hostilités coïncide dans tous les pays occidentaux, même dans ceux que le conflit avait épargnés, avec une poussée sensible de la fécondité qui bouleverse et renverse les prévisions les mieux établies et dont la stabilité allait ouvrir un chapitre neuf dans l'histoire démographique.

Le baby boom

Cette poussée s'exerça aussi bien dans les pays anciens que dans les pays neufs et, si elle fut plus marquée dans ces derniers, elle se manifesta davantage en Europe de l'Ouest que dans l'Europe orientale ou méridionale. Son aspect le plus étonnant fut sans doute sa prolongation dans le temps. Au lieu d'un phénomène brusque mais bref ce fut une vague de grande ampleur, une lame de fond dont la crête se maintint pendant près de vingt années. Cette force et cette permanence infléchissent les caractéristiques jusqu'alors fondamentales de la démographie de ces populations : alors que le taux d'accroissement décennal avait été de 4 % seulement en Europe occidentale, de 1940 à 1950, ce même taux bondit à 14 % entre 1950 et 1960. Le taux net de reproduction (pour 100 femmes) en France qui avait dépassé la cote d'alarme avec un chiffre de 91 remonte très sensiblement en 1950-1955 et atteint en 1964 le sommet de 138. Ce renversement de tendance était fondé sur une reprise très nette de la natalité : en 1951 la France eut un taux de natalité de 19,7 ‰ contre 14,6 ‰ en 1928. La reprise ne fut pas moins prononcée dans toute l'Europe où l'on constata des taux égaux ou supérieurs à ceux des années précédant la grande crise. Du même coup la taille des familles complètes augmenta considérablement : 2,6 enfants en moyenne vers 1955. Aussi l'Europe occidentale connut-elle une nouvelle expansion de population, la plus importante depuis plus de quarante ans, l'arrivée de classes jeunes de plus en plus nombreuses qui transformèrent la composition de la population.

Outre-Atlantique, le renversement fut de même sens mais sa vigueur fut beaucoup plus accentuée. De 1945 à 1960, les États-Unis enregistrèrent une avance démographique sans précédent dans leur histoire due cette fois non plus à l'immigration mais au développement de leur propre population.

Cette période exceptionnelle est connue sous le nom de *baby boom* dont l'appellation marque assez le caractère essentiel. Pendant quinze ans en effet le taux de naissance qui avait grimpé brusquement en 1945 à 23,3 ‰ se maintint sur un haut plateau de 25 ‰, dix points au-dessus de la valeur considérée comme normale pour une population arrivée au dernier stade de la transition. L'évolution favorable du taux de mortalité se poursuivant, comme en Europe d'ailleurs, la population des États-Unis augmenta en dix ans, de 1950 à 1960, de 30 millions d'habitants. C'est le volume d'accroissement décennal le plus important de toute l'histoire de cette nation. Le gain des naissances sur les décès représentait 25,3 millions, le solde étant dû à l'immigration. Le taux de fertilité totale en 1957 dépassa de 63 % celui de 1940, dix-sept ans plus tôt! Et la famille complète américaine comptait 3,6 enfants en moyenne. L'écart d'un enfant avec l'Europe occidentale (2,6 enfants en moyenne) marque le dynamisme de l'Amérique du Nord par rapport au vieux continent.

Le reflux

Non seulement les démographes n'avaient pas su et n'avaient pu prévoir cet essor, mais encore, faute de référence historique, ils répugnèrent pendant longtemps à admettre la spécificité de cette période et de ce fait même ne furent pas à même d'en apporter une explication suffisante. Au moment cependant où la doctrine reconnaissait la nature originale du *baby boom* et l'intégrait dans son cadre de raisonnement et de calcul, un recul aussi soudain et inattendu que le flux qui l'avait précédé se manifestait d'abord en Amérique du Nord puis en Europe. Dès 1957 la descente s'amorce aux États-Unis, d'abord discrète puis de plus en plus prononcée. Entre 1957 et 1966 le taux brut de natalité s'abaisse de 25,2 ‰ à 18,4 ‰, un déclin de près de 30 %. La baisse se poursuit jusqu'en 1973 : à cette date le taux de natalité est de 15,6 ‰; la fécondité a diminué de près de 50 % en quinze ans; les naissances par femme ne dépassent pas 2 enfants et on observe les niveaux les plus bas jamais connus, en dessous des minima précédemment enregistrés entre 1933-1936. Le même schéma s'applique à l'Europe avec pourtant un certain décalage dans le temps : la baisse ne débuta qu'aux environs de 1965, avec sept ans de retard par rapport aux États-Unis. En France, le taux de natalité fléchit de 18,1 ‰ en 1964 à 16,4 ‰ en 1973 taux encore supérieur aux valeurs très basses de 1930. La tendance au déclin suit une courbe à peu près comparable dans l'ensemble de l'Europe. Si le mouvement de baisse est la règle générale, il est cependant d'une ampleur sans précédent aux Pays-Bas et en Allemagne fédérale, plus modeste en Italie et en Angleterre, moindre encore comparativement en France.

Deux remarques doivent compléter ce rapide tableau des faits. En premier lieu, la fertilité totale diminue au cours de ces dernières années et l'on tend, dans tous les pays occidentaux, vers une descendance finale moyenne par couple marié de 2,3 à 2,1 enfants, à la limite du renouvellement des générations et, dans certains cas, en deçà même de cette limite. En second lieu, il convient de souligner que, si la progression démographique s'est déroulée en une première étape au milieu des difficultés de l'après-guerre — et ceci est particulièrement évident pour l'Europe —, la baisse de natalité a coïncidé avec un véritable boom économique qui s'est poursuivi pendant deux décennies. Le paradoxe est d'autant plus frappant que la chute démographique de 1932 avait suivi de très près le déclenchement d'une crise économique très aiguë et semblait en être la résultante. Il est trop tôt pour pouvoir comptabiliser les répercussions démographiques de la récession économique et de la crise de l'énergie. On peut d'ailleurs se demander dans quelle mesure la conduite démographique n'a pas anticipé — par une sensibilité particulière aux problèmes de l'environnement en particulier — les difficultés objectives de l'économie.

Les interprétations des démographes

Tel est schématiquement résumé l'essentiel de l'histoire démographique de l'Occident depuis trente ans. Le trait dominant en est le surprenant renouveau démographique, le *baby boom.* Non moins surprenant demeure le mouvement pendulaire qui divise cette période en deux tranches chronologiques bien séparées et de caractères souvent antagonistes.

Ce double phénomène n'a bien sûr pas échappé à la science démographique et il est indispensable d'examiner l'interprétation qu'elle en a successivement donnée. Dans la mesure où les divers types d'explication présentés ne peuvent appréhender la totalité complexe de ces faits, il nous restera à nous interroger sur leur signification, sur le sens de la coupure introduite dans la logique de notre histoire par le *baby boom*. Marque-t-il un inexplicable répit, un sursaut sur la courbe fatale tracée par la théorie de la transition? Ou bien est-il la première manifestation de l'accomplissement de la transition, de l'apparition d'un régime post-transition dont s'élaborent sous nos yeux les grandes lignes?

Durant l'immédiat après-guerre jusqu'aux années 50 environ, la manifeste élévation de la fécondité ne paraît pas présenter en soi d'anomalie. L'explication reste classique, car on peut se référer à des expériences analogues, notamment à l'accroissement de natalité observé également après la Première Guerre mondiale. Il serait faux de considérer qu'une vitalité exacerbée tend à combler les vides entraînés par la mortalité exceptionnelle des années de guerre. S'il paraît y avoir compensation, elle est due essentiellement à la conclusion de mariages que la guerre a retardés, à la mise au monde d'enfants désirés mais dont les événements retardèrent la venue. Aux États-Unis, l'avance chronologique correspondait bien au déroulement du même processus, mais la cause initiale était cette fois non la guerre mais la terrible crise économique qui sévissait depuis 1929, le chômage et les difficultés d'existence qui l'accompagnaient.

Cependant, à mesure que les années passent, cette explication ne peut plus suffire, car la vague de fécondité déborde très largement la simple compensation jusqu'alors envisagée. A l'interrogation que leur pose le développement tout à fait imprévu de ce dynamisme, les démographes répondent par un pas en avant considérable de leur science. Les pays occidentaux disposant d'un appareil statistique élaboré, la démographie va s'enrichir de nouveaux et subtils outils d'analyse. Des méthodes originales de traitement sont mises au point, des mesures de plus en plus fines et précises permettent de cerner de plus près la réalité démographique et son évolution. Pour nous limiter à l'étude de la seule fécondité, signalons la technique de l'analyse par génération ou « cohortes » de femmes mariées de même âge qui offre la possibilité de suivre les modifications de la fécondité en comparant aux mêmes âges le taux de fécondité de plusieurs générations. La mise au point de la notion de « cohorte » faisait en outre ressortir l'importance de la composition par âges d'une population donnée, importance peut-être sous-estimée par les démographes anglo-saxons surtout, du fait même de sa moindre apparence.

COHORTE

Par généralisation de la notion de « génération », on aboutit à celle de « cohorte » : ensemble des individus ayant vécu un événement semblable au cours d'une même période de temps (exemple : toutes les filles nées dans le cours de l'année 1930). Les tables de cohorte sont fondées sur l'observation d'une cohorte tout au long de son existence. Plus précisément dans l'étude de la fécondité d'une cohorte, on considère fréquemment la descendance actuelle de la cohorte, c'est-à-dire le nombre d'enfants issus de cette cohorte antérieurement à l'époque envisagée. On parle de descendance finale lorsque tous les éléments constitutifs de la cohorte ont passé l'âge de la procréation et de descendance inachevée dans le cas contraire. On parle parfois aussi de descendance complète et, pour les cohortes de mariage, de productivité finale et productivité complète.

SOURCE : *Dictionnaire démographique*, op. cit.

Ces progrès techniques ont entraîné une amélioration très nette dans la description du mouvement, de ses causes secondes, même s'ils n'ont pas apporté, et tel n'était pas leur objet, une explication exhaustive de ses causes premières.

On enregistre tout d'abord une modification sensible dans le régime de la nuptialité, régime auquel on ne s'était pas jusqu'alors suffisamment attaché. Non seulement le nombre des mariages durant les vingt années de boom augmentent mais surtout et bien évidemment la proportion des femmes non mariées décline considérablement. En 1940 plus de 10 % des femmes américaines entre trente-cinq et quarante-quatre ans n'étaient pas mariées et ne l'avaient jamais été. Cette proportion tombe en dessous de 6 % en 1960. En même temps on constate un abaissement progressif de l'âge moyen des femmes au mariage. On se marie de plus en plus jeune et le mariage précoce est partout associé à une plus haute fertilité : pour les femmes de seize à vingt ans, la proportion des mères de famille augmente de 5,5 % de 1930 à 1950, pour les femmes de vingt et un à vingt-cinq ans de 42 à 58 %. Évolution semblable en Europe, moins prononcée pourtant.

Cette transformation de la nuptialité provoque un changement dans le rythme et le volume de la descendance de ces jeunes couples. Ici apparaît le côté le plus notable du *baby-boom*, bien cerné par les démographes : ce n'est pas l'élargissement des familles qui est à la source de ce phénomène, mais bien davantage le fait que le nombre des couples n'ayant pas d'enfants ou n'en ayant qu'un seul diminue très fortement, alors que le nombre des familles moyennes de deux ou trois enfants augmente sensiblement. La cohorte des femmes nées aux États-Unis en 1909 et ayant atteint la stérilité physiologique en 1959 comptait 23 % de femmes sans enfants, près d'une sur quatre. En contraste la cohorte des femmes de 1928 au passage de leur 35e année (en 1963) ne comptait plus que 12 % d'entre elles sans enfants. En 1978 au terme de leur 50e année, ce coefficient peut s'abaisser à 8 %. L'écart le plus significatif cependant entre ces deux cohortes réside dans la proportion des femmes ayant mis au monde trois ou quatre enfants : 21 % pour la cohorte 1909, 35 % pour la cohorte 1928. Au contraire il n'y a eu aucun accroissement ou presque entre les deux cohortes dans la proportion des femmes ayant eu six enfants ou plus : 8 % pour la génération 1909, 9 % pour la cohorte 1928. Des manifestations secondaires appuient cette démarche fondamentale et ne manquent pas de peser, ne serait-ce que d'une façon transitoire, sur les taux de naissances : la première naissance de plus en plus rapprochée de la date du mariage et l'intervalle moyen de plus en plus réduit entre chaque naissance. Aussi, nous l'avons vu, le volume moyen de la famille complète augmente notablement et atteint 3,6 enfants aux États-Unis en 1957, 2,6 enfants en France en 1962-1963, très au-delà des 2,3 enfants des années 1930.

La convergence des chiffres, leur nouveauté, leur permanence semblaient indiquer qu'un palier supérieur sur l'échelle des indices démographiques était atteint. Cette hausse prolongée ne surprenait pas moins par son uniformité et sa généralisation. Tous les écarts maintes fois constatés auparavant s'atténuent jusqu'à disparaître à l'intérieur du monde occidental : entre nations d'abord, entre milieu urbain et milieu rural, entre groupes sociaux, entre les membres des diverses religions. Il semble qu'une « norme » démographique tende à s'imposer et conduise à une uniformisation de comportement. Très peu de couples refusent d'avoir un enfant, la très grande majorité souhaite en avoir de deux à quatre, très peu de couples désirent dépasser ce dernier chiffre. Pour atteindre ces objectifs, la prévention des naissances est, explicitement et globalement, le moyen employé : 96 % des couples en 1960 aux États-Unis déclarent avoir employé ou vouloir employer une méthode de limitation de fertilité.

La nouvelle situation créée par ces vingt années, après avoir provoqué le recours à des notions classiques comme celle de la compensation d'après-guerre, après avoir soulevé l'incrédulité et la curiosité par sa persistance, avait enfin permis la mise en œuvre d'instruments subtils d'analyse qui autorisaient une description serrée du déroulement des faits. Diverses explications de ce phénomène furent proposées et les conjectures ne manquèrent pas sur les motifs profonds que l'on pouvait attribuer à l'origine de cet étrange mouvement. Bien des faits économiques et sociaux étaient mis en avant pour rendre compte du besoin démographique massif et subit que le *baby boom* devait satisfaire. On a même été jusqu'à évoquer une réponse inconsciente à la menace présentée, durant cette période de guerre froide, par le dynamisme, au demeurant très relatif, du monde communiste. Cependant aucune élaboration théorique ne venait remplacer le schéma explicatif fondamental de la transition démographique qui manifestement ne pouvait rendre compte de la croissance de fertilité constatée. De plus, au moment où cette nouvelle construction théorique devenait de plus en plus nécessaire, l'ensemble des faits démographiques qu'elle aurait dû interpréter s'effondra et le *baby boom* s'estompa aux États-

Unis dès 1957, dans l'ensemble de l'Europe en 1964.

Cet évanouissement fut aussi imprévu, aussi rapide et aussi désarmant que l'accroissement précédent. Là encore la description est fidèle et rigoureuse et on peut suivre d'année en année la baisse de tous les indices auxquels nous venons de nous attacher. Le reflux est manifeste autant dans les variations de la nuptialité que dans celles de la fertilité et enfin dans la dimension moyenne des familles. Comment l'expliquer?

Deux phénomènes particulièrement « révélateurs » méritent d'être examinés de plus près, car ils fournissent des éléments de réponse nombreux et fondamentaux à cette difficile question.

Le cas de la France

La France est notre premier exemple. La singularité de son histoire démographique situe notre pays tout à fait à part, en dehors du cadre normatif applicable *grosso modo* à toutes les autres nations d'Europe. Alors que la France avait au milieu du XVIIIe siècle la population la plus nombreuse et la plus dense d'Europe, elle connut dès la fin de ce siècle un effritement puis un effondrement de fécondité qui ne survint dans les autres pays européens qu'un siècle plus tard. Cet handicap temporel provoquait vers les années 30 une anémie démographique qui justifiait les pronostics les plus alarmants : une fécondité si basse qu'elle n'assurait plus le maintien numérique des générations, un vieillissement accentué de la population, en filigrane la menace d'un dépeuplement effectif face à des voisins démographiquement plus dynamiques. La prise de conscience de ces dangers entraîna l'adoption d'une politique familiale de natalité destinée à les combattre. Dès 1944, la France participa pleinement à l'essor démographique de l'après-guerre et une expansion très sensible de la natalité, étalée sur près de vingt ans, assurait un développement notable de la population totale et un rajeunissement de la structure par âge.

Depuis 1964 la baisse du taux de natalité fait se lever de nouveau le spectre du malthusianisme traditionnel qui a marqué notre histoire. Dès l'amorce de ce renversement de tendance, des craintes se sont manifestées et le spectre si longtemps évoqué du désert français s'est de nouveau dressé, les prévisions devenant « très incertaines voire inquiétantes » aux yeux de nombreux Cassandre conduits par M. Debré puis par « Laissez-les vivre ».

Qu'en est-il réellement? Une première constatation s'impose. Du fait de la particularité de son histoire démographique, une très longue période de stagnation suivie d'une expansion rapide conduit à une composition par âge de la population très défavorable. Si, en un quart de siècle, de 1945 à 1970, la population française est passée de 40 à 50 millions d'habitants, il avait fallu un siècle et demi, de 1810 à 1945, pour que soit acquis le gain précédent de 10 millions. « Ce double mouvement a conduit à faire coïncider l'accroissement de la population âgée et celle des enfants et des adolescents; d'où une charge très lourde pour la population active. » Le phénomène principal est, en effet, cette concentration aux deux extrémités des classes d'âge. Située au milieu, la population active n'a pas augmenté et son volume numérique est le même en 1968 qu'en 1901. Cet effectif fixe de la masse « utile » doit assurer aujourd'hui l'existence d'une population plus nombreuse (10 millions de plus). La charge extrêmement lourde qui pèse sur la population active française n'a pas d'équivalent en Europe. Il faut ajouter cependant que l'immigration pallie substantiellement les inconvénients de cet héritage historique. D'autre part, deux considérations, purement démographiques elles aussi, viennent tempérer ce que peut avoir d'excessif le pessimisme traditionnel.

En premier lieu, la baisse régulière depuis 1964 du taux de natalité qui passe de 18,1 ‰ à 16,5 ‰ en 1973. La sensibilité des pouvoirs publics et des spécialistes à notre indéniable handicap historique, le quasi-complexe qui en découle risquant pourtant de noircir cette nouvelle orientation. La fécondité française a connu entre 1959 et 1964 une accélération notable, au-delà de la hausse moyenne des pays européens. Le nouveau mouvement signifie-t-il un retour de la fécondité vers une marche plus normale, ou, au contraire, une tendance à long terme vers la baisse? Probablement les deux à la fois, la marche normale étant la tendance à long terme vers la baisse et, sous cet angle, le phénomène aberrant par rapport à cette ligne demeurant le durable et inexplicable *baby boom* des années 1944-1965. Quoi qu'il en soit, suivant le très officiel *Rapport sur la situation démographique de la France en 1973* présenté en 1974 par M. Michel Durafour, ministre du Travail au Parlement, la France, dans l'ensemble des pays occidentaux, et mis à part le cas de l'URSS, de la Pologne et de la Tchécoslovaquie, a le taux de naissance le plus élevé alors qu'en 1964 elle était en dernière position : « Actuellement la fécondité est plus forte en France que partout ailleurs... alors qu'en 1964 les Pays-Bas et les États-Unis dépassaient notre pays et que l'Angleterre-Galles l'égalait. » Aussi bien la population française, contrairement à ce qui est affirmé si souvent, grâce à ce moindre recul, grâce à l'acquis de vingt-cinq années d'expansion démographique, augmentera jusqu'en 2000 : suivant l'hypothèse retenue elle passera de 52 millions en 1975 à 59 ou 62 millions. Le mouvement progressif autorisé par une structure d'âge favorable (les trente générations nombreuses d'hier sont les parents de demain) dû lui-même au renversement de l'après-guerre est cependant au bout de sa lancée : avec 2,2 enfants en 1973 par femme, 2,1 peut-être en 1974, on est à la limite de l'équilibre numérique de la population, de la stabilité.

Le fait, nouveau, fondamental, qui plus que tout autre trait caractérise l'évolution de la démographie française depuis 1930 — et tout particulièrement depuis 1964 — est la similitude des mouvements de la fécondité des pays occidentaux avec ceux de la France. Après avoir fait cavalier seul pendant plus d'un siècle et demi, la France, si longtemps pionnier, est enfin rejointe par le peloton jusqu'alors dispersé, aujourd'hui si compact, de ses homologues européens et nord-américains. Tout porte à croire qu'un modèle commun anime et détermine la conduite reproductive de millions de femmes. Les hétérogénéités, les originalités nationales, sociales, etc., fondent et tendent à disparaître. Pour autant qu'une certaine variété subsiste, elle ne peut dissimuler le véritable dénominateur commun du monde développé : la fécondité y connaît depuis cinq ans une chute verticale. Dans 20 des 31 nations qui composent ce groupe, le taux de fécondité est tout proche, et dans certains cas au-dessous du niveau de remplacement des générations : 2,1 enfants par femme. Dès maintenant, non seulement les deux Allemagne, la Grande-Bretagne, l'Autriche, la Suède, la Finlande par exemple sont en dessous du palier mais aussi les États-Unis et le Canada.

Si la France résiste comparativement mieux, elle n'en suit pas moins, à sa propre allure mais dans la même direction, l'évolution démographique générale, ceci malgré le fait que pendant de nombreuses années elle a été seule à pratiquer une politique démographique délibérée et réfléchie qui voulait donc infléchir et corriger les mouvements « naturels » de la population. Il est à peu près certain que cette action volontaire n'a eu aucune influence réelle sur les grandes vagues démographiques qui ont remué l'Occident comme la France et dont le flux puis le reflux ne trouvent pas leur causalité dans le champ de la détermination législative. La loi étroitement répressive de 1920, envisagée en son temps comme une « véritable mesure de salut national » a été tout à la fois et véritablement nocive et véritablement inefficace. En interdisant toute évolution normale dans le domaine du contrôle de la vie, elle a contribué en premier lieu à entretenir l'ignorance, les tabous et la peur, à bloquer la recherche et pire encore la connaissance. En second lieu, malgré une interdiction formelle et rigoureuse de l'avortement et de la contraception, la loi n'a pas empêché l'avortement — de 350 000 à 500 000 chaque année en France selon les auteurs et leurs opinions — et la diffusion de la contraception. Fondamentalement destinée à assurer le relèvement de la natalité, la loi n'a pu en aucun moment enrayer la baisse de la fécondité qui a suivi une marche autonome et tout à fait analogue à celle des pays voisins ou de même niveau socio-économique, dotés par ailleurs de législations démographiques souvent tout à fait dissemblables. Quelques années plus tard, en juillet 1939, la France adopte une politique positive cette fois : le Code de la famille qui répondait également — la carotte après le bâton — aux préoccupations natalistes. Cet ensemble, renforcé et modifié en 1945 puis en 1946, a de plus en plus perdu le caractère démographique qu'il avait indubitablement à l'origine alors que s'accusait davantage avec le temps son aspect d'aide sociale. Quoi qu'il en soit de ce changement d'accent et quelle que soit la difficulté d'apprécier exactement l'impact de cet arsenal juridique sur les variations des statistiques démographiques, il est évident que, pas plus que les lois de dissuasion, les lois d'encouragement n'ont eu d'efficacité démographique. Là encore, l'étude des variations démographiques depuis 1939 et la comparaison avec l'Occident suffisent à en juger globalement. Le sursaut de fécondité, le *baby boom* a été constaté dans l'ensemble du monde occidental et a été particulièrement marqué dans un grand nombre de pays comme les États-Unis par exemple qui n'ont pas encore aujourd'hui de politique d'incitation à la natalité, aucune législation positive de près ou de loin analogue à celle de la France.

Du fait de l'ex-particularisme démographique de la France, de son avance de plus d'un siècle sur la voie de la transition, une importante partie de l'opinion scientifique et publique demeure très sensible à une « vitalité » supposée moindre de la France, au fait que son taux de natalité décline. Au-delà des positions de principe, philosophiques ou religieuses, ainsi s'explique l'incroyable résistance à l'abrogation de la loi de 1920, à la simple reconnaissance d'un fait sociologique aussi patent et, en France particulièrement, aussi ancré et ancien que la contraception. Rien ne peut mieux résumer ce refus dans ce qu'il a de plus modéré — que la position prise il y a quelques années par le ministre de la Population d'alors qui, dans un rapport au Parlement, soulignait que « la mise à disposition du public de moyens de contraception d'une efficacité presque absolue ne peut être sans effet si elle coïncide dans l'esprit des couples avec un modèle nouveau de famille plus réduite ». Le problème est là en effet : la contraception effective à 100 % existe désormais et le modèle nouveau de famille — celui de 2 enfants — existe également. Ce double phénomène est général et à moyen terme irréversible. On savait, lorsque cette crainte s'est manifestée, que 20 % des naissances n'étaient pas voulues, amenant un nombre d'enfants par famille de 2,4 environ et c'est à ce surcroît sociologiquement catastrophique mais numériquement bénéfique que l'on ne voulait pas toucher. Les mœurs et la connaissance ont été plus vite que la loi ou la compréhension de certaines personnalités. Aujourd'hui le nombre moyen d'enfants par femme est de 2,1 et la progression démographique intrinsèque stoppée. La conjoncture redoutée s'est réalisée malgré tous les freins opposés à une politique ouverte dans le domaine du planning familial.

Et pourtant l'entière liberté des couples et la poursuite d'un objectif national démographique ne paraissent pas inconciliables. Les moyens et les techniques d'une action positive ont été définis par l'INED mais la France n'a jamais eu jusqu'à aujourd'hui une politique de population publiquement affirmée.

Il peut paraître hors de mesure que la menace du déclin se profile à l'horizon démographique du seul fait que le nombre moyen d'enfants par femme en âge de procréer passe de 2,90 en 1964 à 2,10 en 1973. L'avenir de la population des pays avancés repose pourtant en effet sur le 3e enfant devenu, dans la terminologie des spécialistes, un élément statistique coupé en décimales mais qui conditionne l'avenir démographique du monde occidental.

Le cas américain

On peut difficilement accepter l'idée qu'un enfant de plus ou de moins par famille puisse changer la face de notre monde. Tel est le cas cependant et l'exemple américain est à cet égard tout à fait typique. La lourdeur inhérente aux phénomènes démographiques trouve ici par ailleurs une démonstration frappante. Du fait de la capitalisation démographique, de l'acquis accumulé sur plus de quinze années pendant le *baby boom*, la population américaine est pratiquement destinée à s'accroître pendant une cinquantaine d'années. Le rythme et le volume de cet accroissement dépendront étroitement des décisions familiales sur l'enfant « cheville » et le sort démographique des États-Unis peut donc emprunter diverses voies. L'US Bureau of the Census a publié il y a trois ans une série de projections. La plus haute était basée sur un rappel historique : la famille américaine à la crête du *baby boom*, alors qu'elle comportait en moyenne 3,1 enfants par couple. Cette moyenne implique un accroissement de population de 50 % à chaque génération. Cette arithmétique, plus une immigration modérée, conduirait à un accroissement de la population américaine de 213 millions en 1944 à 322 millions en l'an 2000. La plus basse des projections, quant à elle, était fondée sur une moyenne de 2,1 enfants par famille — la limite de l'entretien démographique [1] — et donnait dans les mêmes conditions et à la même date une population globale de 271 millions. En 1972, devant la chute accélérée du taux de natalité, le même Bureau publiait une projection révisée en baisse et admettait une moyenne par famille de 1,8 enfant (chiffre effectivement atteint en 1974) qui entraînerait une population globale de 250 millions d'habitants en l'an 2000. Le faible écart entre le nombre d'enfants et l'effet cumulatif au point de vue de l'écart fractionnel sont saisissants.

Ces dernières indications peuvent surprendre. Plus surprenante encore est la phénoménale adaptation réalisée au cours du XIXe siècle. Une ignorance complète de la dynamique de la population, une absence quasi complète d'information statistique, des lois réactionnaires, des méthodes de contraception souvent primitives, n'empêchèrent pas les

1. Les performances actuelles de l'hygiène et de la santé publique, le niveau de l'espérance de vie, les formes de la nuptialité conduisent à ce résultat : le maintien de la population à son niveau actuel, abstraction faite du facteur circonstanciel de la composition par âge requiert une moyenne minimum de 2,1 enfants par famille.

familles occidentales de s'adapter d'une façon inconsciente mais parfaite à la baisse régulière de la mortalité, à l'accroissement de la durée de vie. Vers 1800 chaque femme américaine mariée mettait au monde 8 à 10 enfants; la natalité diminuant au cours du XIXe siècle, la taille moyenne des familles se réduisit à 3 enfants en 1920 et à 2,2 à la veille de la grande crise.

La course parallèle et harmonieuse de ces diverses courbes s'arrête cependant dans le cours des années 40. Si la famille « idéale », telle que la définissait la grande majorité des femmes consultées, était de 2 enfants en 1930, l'idéal exprimé en 1945 était déjà de 3 enfants, puis en 1955 de 4 enfants. Plus significatif encore : en 1959, 40 % des femmes américaines considéraient qu'une fécondité excessive (au-dessus et au-delà de l'idéal) ne commençait qu'avec le 5e enfant.

Cette rapide et transitoire mutation dans l'attitude des couples sur la dimension de leur famille est vraisemblablement l'une des sources du *baby boom*. C'est aussi un retour à un idéal plus réduit, autour des années 60, qui a provoqué, entre autres raisons, le déclin du taux de natalité constaté dans les pays avancés cette dernière décennie. Revenant sur cette première phase, Rostow éclaire, sous un angle plus économique cette fois, le phénomène : « Les Américains se sont comportés comme si, étant nés dans une société qui leur assurait la sécurité économique et la consommation de masse, ils attachaient moins de prix aux accroissements de revenus réels sous les formes classiques, et plus aux avantages et aux valeurs que confère une famille plus nombreuse... Alors que l'ère des biens de consommation durable atteignait un point où le taux des ventes devait se ralentir, la société américaine prit une décision extraordinaire et inattendue. Les ménages américains commencèrent à agir comme s'ils préféraient un bébé de plus à un nouvel article de consommation [1]. » L'étape ultérieure, celle du reflux, se caractérise par une crise de conscience des difficultés fondamentales masquées jusqu'alors par la hausse continue des revenus réels sur vingt ans. Outre ce point, quel bilan peut-on tirer de cette expérience démographique d'autant plus éloquente qu'elle risque de préfigurer dans ses grands traits l'avenir de l'ensemble des pays développés? Comment peut-on aujourd'hui dénouer cette histoire apparemment si cahotique et suivre dans les détours de ce labyrinthe le fil de laine rouge?

Le déclin de la fécondité aux États-Unis dès 1957 n'a pas surpris les démographes : ils attendaient ce retournement depuis des années : les mères américaines avaient tant d'enfants et depuis une si longue période qu'un changement paraissait depuis longtemps inévitable. Personne cependant ne prévoyait que le déclin serait si profond et qu'il allait se poursuivre jusqu'à aujourd'hui. Bien au contraire, les démographes auguraient une reprise de la natalité — et jamais sans doute la prospective n'a-t-elle été fondée sur des éléments aussi solides. En effet la prévision de cette nouvelle vague était basée sur l'impressionnante augmentation du nombre des jeunes femmes de vingt à vingt-neuf ans — en pleine force reproductive issues du *baby boom* 1940-1955. En effet, si les femmes de cette tranche d'âge représentaient une masse de 11 millions en 1960, elles sont 18 millions en 1974 et seront 21 millions en 1985. L'arrivée aux âges repro-

1. W. W. Rostow, *Les Étapes de la croissance économique*, éd. du Seuil, 1962, p. 25 et 104.

ductifs de classes de plus en plus nombreuses aurait dû entraîner l'écho démographique, le ressac de ce premier élan. Fin 1974, les démographes et les sociologues ont beau scruter l'horizon statistique, non seulement le ressac ne s'amorce pas, le taux de naissances n'augmente pas, mais encore la baisse n'a jamais été aussi prononcée. Quelques chiffres en soulignent l'ampleur. En terme de taux de naissance, le chiffre le plus bas précédemment enregistré a été de 18,9 ‰ dans les années 30. En 1957 il était remonté à 25,7 ‰. Il a été en 1974 de 14,8 ‰, le plus bas de toute l'histoire américaine. Malgré la structure par âge très favorable, le nombre des naissances de 4,3 millions en 1957 est de 3,1 millions en 1974. Enfin et surtout le taux de fécondité a atteint lui aussi un plancher historique : il conduit à une moyenne de 1,8 enfant par couple. La cohorte de femmes américaines ayant mis le moins d'enfants au monde jusque-là était celle des femmes nées en 1909 qui avaient eu cependant 2,2 enfants. Rappelons que si ce chiffre de 1,8 enfant se maintenait, il impliquerait à moyen terme une diminution de la population.

Considérée dans une perspective séculaire, l'histoire démographique des deux continents, l'Europe et l'Amérique du Nord, se rejoignent et forment après un long et profond hiatus un destin commun. Jugé avec un recul désormais suffisant, le *baby boom*, les hauts taux de naissances des vingt années de la guerre et de l'après-guerre, ne paraissent plus avoir été autre chose qu'un répit, un sursaut temporaire sur la voie du mouvement, séculaire lui aussi, du recul de la fécondité. Les taux très bas de 1933 et de 1974 se situent dans le prolongement de ce déclin et sont l'exact aboutissement à chaque terme de la pente descendante qui a transformé du tout au tout la démographie occidentale. Sous cet angle le phénomène aberrant n'est pas la reprise et la poursuite de cette ligne depuis 1964 en Europe, depuis 1957 aux États-Unis mais bien au contraire le long et puissant sursaut de natalité qui l'a précédé.

Tout bien considéré et malgré cet accident de parcours, il semble bien que l'Amérique du Nord, l'Europe occidentale, le Japon avec leurs très bas taux de fécondité soient tout près d'atteindre la fin de la grande période de la transition, le terme de la révolution démographique et s'approchent d'un nouveau palier, une ère de stabilité originale et à long terme. La croissance zéro pour la population n'est plus un mythe ou un slogan : c'est une très réelle possibilité dans un avenir proche pour l'ensemble des nations du monde occidental au tournant de l'an 2050.

Toute prédiction sur cet au-delà de la transition est bien évidemment aléatoire. Au-delà de ce que le poids du passé démographique implique d'avenir, au-delà de ce déterminisme, une lueur peut cependant nous être donnée par les intentions exprimées par les femmes quant à leur descendance. En juin 1974, 5 % des femmes américaines de dix-huit à vingt-quatre ans ne voulaient pas avoir d'enfant — 13 % en désiraient 1 seul — 56 % en voulaient 2 et 20 % en voulaient plus de 2. Aussi bien le taux actuel — 1,8 — est-il clairement très en deçà des souhaits exprimés. Il est à peu près sûr qu'un certain nombre de naissances souhaitées sont reportées du fait des circonstances économiques. Ces dernières viendraient-elles à s'améliorer que le taux de fécondité devrait augmenter et se rapprocher sinon dépasser la limite du renouvellement. Quoi qu'il en soit, un retournement en hausse du flux démographique ne pourrait être que modeste. Pour autant que l'on puisse en juger, il y aura dans cet au-delà de la transition des hauts et des bas du taux des naissances. Il est peu probable que ces fluctuations soient de grande amplitude, il est moins probable encore qu'elles jouent sur un registre autre que celui des bas niveaux où nous sommes désormais et pour longtemps cantonnés. Les fluctuations démographiques présentes et futures soulignent la très grande élasticité de la demande d'enfants par rapport au revenu, la sensibilité de la fécondité aux circonstances, à l'environnement économique, social et politique, la possibilité de revirements difficilement contrôlables et toujours imprévisibles.

Le pivot : oui ou non au 3e enfant

Marginal, fractionnel, le « 3e enfant » est au demeurant le pivot central autour duquel s'articule et oscille l'avenir démographique des nations modernes. Celui-ci dépend essentiellement de la question suivante : la proportion de couples qui auront 3 enfants sera-t-elle plus ou moins importante que la proportion des couples qui auront 2 enfants? Cette interrogation a de multiples implications qui ouvrent par ailleurs des vues sur les caractères originaux de la fécondité contemporaine. Elle met en relief le rôle de la société qui, au-delà de la satisfaction des individus à avoir des enfants, a un intérêt vital à voir se renouveler le corps de citoyens qui la compose. La plupart des nations occidentales encouragent les mariages et la natalité, pénalisent le célibat et les couples stériles. Elles soutiennent directement et indirectement la famille et son expansion par de multiples biais : allocations familiales, allègements fiscaux, santé, éducation, logement, aide à l'emploi, au sous-emploi, etc. Sans ces incitations et ces appuis très divers, l'enfant, *a fortiori* le 3e, est une charge qui dépasse les possibilités et les perspectives de nombreux couples. La capacité d'une société donnée de modifier le comportement démographique de ses citoyens devient un élément de plus en plus essentiel de son propre développement; en dernière analyse ce sera au corps social — mais dans sa totalité et en toute connaissance de cause — à décider du nombre d'enfants désirable et des moyens nécessaires à mettre en œuvre pour aider les couples à atteindre l'objectif recherché.

Sous cet angle il convient de signaler le décrochage dans les pays les plus avancés de la relation si longtemps établie entre niveau de développement et niveau de fécondité. Un enrichissement continu de la société peut coïncider, comme ce fut le cas pendant vingt années en Occident, avec un accroissement de fécondité, les classes les plus avantagées se révélant aussi les plus prolifiques. Cependant, dans l'hypothèse d'un contrôle total de la fécondité, les attitudes des familles dépendraient sans doute davantage des variations économiques, des mouvements d'opinion, de l'environnement.

Faut-il d'ailleurs encore parler d' « hypothèse » d'un contrôle à 100 % de la fécondité? Les dernières techniques de contraception (pilules, stérilets) sont des innovations radicales dont on est loin de connaître toutes les répercussions. Lorsque leur emploi sera assuré sans restriction d'aucune sorte et répandu dans tous les milieux, la psychologie et la pratique de la fécondité seront transformées elles aussi. A l'heure actuelle ne pas vouloir d'enfant est une décision négative impliquant des démarches répétées et une attention soutenue (d'où les 20 % d'enfants non désirés en France). Mais, dans un proche avenir, la grossesse devra être le résultat d'une volonté positive et d'une action délibérée pour éliminer l'obstacle à la conception. Ce renversement aura d'autant plus de poids que, du fait des mariages « jeunes » et du court intervalle entre les naissances, la plupart des couples, après avoir réalisé leur objectif fondamental, demeurent pendant plus de dix ans exposés à une conception non désirée. Une transformation aussi complète dans le sens d'un volontarisme là où le refus et la crainte étaient la norme, peut influencer profondément l'opinion des couples sur la dimension de leur famille. Le consensus d'une très large majorité des ménages se situe déjà autour d'une option réduite : 2,3 ou 2,4 enfants. La généralisation d'un type familial à 4 enfants serait impossible à accomplir. Un doublement de population aux États-Unis en trente ans (perspective offerte par une moyenne de 3,5 enfants) représenterait pour le pays le plus riche du monde une charge probablement insupportable et une hypothèse redoutable et ceci pour une double raison.

Les enfants des pays occidentaux sont des enfants « chers ». Le coût de leur élevage, si l'on peut dire, jusqu'à l'âge de dix-huit ans, se situe entre 100 et 150 000 F [1], sans compter

1. En 1965, l'Institute of Life Insurance estimait que le coût d'un enfant jusqu'à l'âge de 18 ans pour une famille disposant d'un revenu annuel de 6 000 dollars (33 000 F) se montait à 23 800 dollars (119 000 F) non compris les frais de collège. (Cité par *Population Reference Bureau Selection*, n° 32, avril 1970.) Article du Dr. E. James Lieberman, « A case for the small Family » publié à l'origine en janvier 1970, *American Journal of Public Health*.

les soins et une sollicitude quotidienne, une aide sociale difficile à chiffrer mais effective. Au point de vue global, la ponction économique entraînée par l'exubérance démographique interdirait tous autres investissements que ceux qui seraient directement destinés à nourrir la croissance de population.

Les données démographiques, les sujétions économiques obligent donc les nations industrielles à un choix limité : oui ou non au 3e enfant. Ces pays disposent aujourd'hui de la maîtrise de leur population mais ce pouvoir tout nouveau implique en corollaire le problème de la stabilisation de leur développement. A la mesure de l'humanité millénaire et dans le cadre de la dynamique démographique de l'Occident d'aujourd'hui, les taux de naissances ne peuvent être que faibles. L'équilibre numérique étant réalisé avec 2,1 enfants par famille, il suffit de 2,2 enfants pour que la population double tous les cinq cents ans. La perspective, à long terme, d'une population quasi stationnaire, pour les peuples à niveau et espérance de vie élevés, est un problème original et tout récent pour l'humanité.

La seconde révolution démographique

La rupture totale en 1940-1950 dans la continuité du déroulement démographique, le sursaut dynamique du *baby boom* absolument imprévu, la disparition de cette aberration aussi soudaine et imprévue que son apparition, la reprise, l'apparition enfin du terme de la transition, tous ces phénomènes et leur succession marquent l'établissement en Occident d'un âge démographique nouveau, le tournant d'une seconde révolution démographique dont on voit se dessiner les premiers traits. Avant tout, le contrôle des variables démographiques tend à devenir total, la maîtrise, dans la limite des lois biologiques, de la vie et de la mort est de plus en plus complète. Seuls bientôt naîtront, grâce aux contraceptifs modernes, les enfants voulus, alors qu'aujourd'hui encore la fécondité effective dépasse la fécondité souhaitée de 20 % environ. Pour la mortalité, l'élimination envisageable des maladies de dégénérescence, les progrès dans les domaines de l'hygiène, de la détection, de la prévention conduisent à un point difficilement dépassable dans l'état présent de nos connaissances médicales. Les mécanismes millénaires qui réglaient aveuglément le nombre des hommes sont maintenant dominés et ce nombre est désormais dépendant de notre seule détermination. A l'équilibre inconscient et fatal d'autrefois se substitue un nouveau type d'équilibre fondé sur des processus conscients et efficaces, au stade individuel du moins, mais qui doivent le devenir également à l'échelle des grands nombres.

Cette orientation est primordiale et déjà bien engagée. En ce qui concerne la fécondité, la régulation des naissances a débordé le stade traditionnel de la spontanéité et des réactions purement individuelles, la nuptialité tend à se régler sur un modèle suivi par toutes les classes et les milieux d'une société donnée, les procédés contraceptifs provoquent une révolution en profondeur et qui ne peut que s'étendre. L'impact social sur la mortalité devient de plus en plus sensible, non sans provoquer des choix cruels. L'arrêt du déclin de la mortalité indique que la transition démographique a atteint dans ce secteur un palier qui ne pourra être dépassé, hormis des percées de la science médicale, que par l'application socialisée de thérapeutiques très coûteuses et de ce fait d'application restreinte.

En même temps qu'elles échappent à l'inconscient et à l'incontrôlable, les variables démographiques se socialisent effectivement et ressortent à tous ces titres d'une action publique. Si la fécondité contemporaine repose sur la volonté des individus d'avoir ou de n'avoir pas d'enfants, cette volonté ne fait qu'exprimer, à ce plan, un jugement sur un présent et un avenir. Ce jugement est le fruit d'un climat, d'une ambiance collective, économique au premier chef. Elle peut être modifiée, contrariée ou développée en fonction de mesures appropriées. Jusqu'à maintenant, il n'a jamais existé de politique de population clairement définie dans son objectif et ses moyens. Jusqu'à maintenant, les initiatives législatives dans le domaine démographique — ou para-démographique — l'ont été en faveur de la natalité et dans le but de réduire le handicap des familles nombreuses. L'arsenal en question s'est composé et se compose encore dans la plupart des pays occidentaux au moins autant de mesures négatives que de mesures positives : interdiction ou obstacle à l'avortement, à la diffusion de contraceptifs, etc. Bientôt l'accent devra être mis sur les mesures positives et, dans certains cas, on peut envisager que la politique de population, au lieu de s'axer uniquement sur l'accroissement démographique, pourra poursuivre un objectif de stabilisation sinon de régression. C'est à l'échelle d'une consultation nationale, sur la base d'une information complète et objective, que des options aussi essentielles devront être décidées.

On frise ici l'anticipation mais le nouvel âge démographique qui s'esquisse est aussi celui des incertitudes. Du moins peut-on être assuré que notre avenir sera bien différent de celui que nous réservaient les vues classiques de la démographie. La théorie de la transition basée sur une expérience plus que séculaire a subi un accroc de taille dans les pays occidentaux avec la subite reprise de natalité qui a compromis à jamais l'hypothèse fataliste d'une dégradation continue et sans limites de la fécondité des pays industrialisés. La fiabilité est désormais mise en doute même si le fil de l'histoire démographique semble renoué. A cet égard, cette élucidation reste valable comme outil de prévision générale pour toutes les populations engagées actuellement dans le processus de modernisation. Il faut d'ailleurs rappeler que la théorie de la transition a été élaborée, dans un climat de crise et d'anxiété, vers les années 30 par des démographes américains au moment où le déclin démographique était une menace réelle et immédiate. L'apparition de la théorie justifiait en quelque sorte, parce qu'elle en rendait compte, la chute démographique dont la fatalité était en un sens garantie par la logique de la théorie elle-même. A l'image d'une chute sans fin de la fécondité s'oppose le sentiment d'être arrivé au terme de la transition que semble marquer le très bas étiage des taux de fécondité en Europe et en Amérique. Malheureusement la théorie est muette sur deux points : à quel niveau la fécondité doit-elle parvenir pour que la transition soit considérée comme terminée? (Et ceci rejoint l'anxiété des démographes d'il y a quarante ans.) Et, d'autre part, l'équilibre, la stabilité, un nouveau palier, sont-ils le seul avenir démographique envisageable? A cette dernière question, l'histoire apporte sa réponse : équilibre et stabilité sont dans le contexte de notre monde fini les conditions de la survie et la seule issue laissée à des sociétés désormais conscientes et maîtresses de leur sort démographique.

Une fois démenti tout destin, quelles perspectives ouvre aux nations industrialisées la prise en main de leur devenir démographique? Le diagnostic ne peut être que réservé. La ligne générale qu'indiquent les statistiques semble être une croissance très modérée, ne dépassant pas 0,5 % par an et soumise à des à-coups du fait de l'inertie des phénomènes démographiques. Une croissance de cet ordre devrait permettre le remplacement des générations et la prise en charge, inéluctable, du vieillissement de la population. Le peuplement optimal a fait place à la notion d'une population « sur mesure », mais celle-ci s'efface devant le concept de « variations optimales ». La population soumise précédemment à des tendances à long terme sera sans doute animée par des fluctuations à court terme, une démographie « flottante » en quelque sorte. En ce sens tous les avenirs sont également envisageables. L'expérience la plus récente nous montre une oscillation rapide en un court moment. Dans toute la mesure où la fécondité répond à un contexte socio-économique fluctuant, elle ne peut être que variable elle aussi. Le problème principal posé à ces populations réside dans cette instabilité et dans les difficultés qu'elles rencontreront à éviter des variations trop prononcées, à rapprocher les vues particulières de chaque couple d'un axe global plus cohérent.

5

Deux transitions « réussies »

A côté du groupe occidental qui, avec des différences notables, a accompli sa mutation, d'autres pays se sont engagés sur la voie de la révolution démographique et de la mutation qui est son terme présent. C'est le même chemin, mais bien que ces nations soient entrées plus récemment dans le cycle du développement, elles accélèrent le mouvement, brûlent les étapes. Leur évolution, orientée suivant les mêmes lignes de force, présente, grâce aux circonstances historiques particulières, des caractéristiques propres.

Parties il y a cinquante ans d'une situation encore proche du régime démographique traditionnel, elles abordent aujourd'hui le régime nouveau où les pays occidentaux les plus avancés les ont précédées. Là s'arrête la ressemblance car ces dernières décennies ont été marquées, pour elles, par d'autres mouvements démographiques que ceux que nous venons de voir. Elles n'ont pas connu, par exemple, de *baby boom* comparable à celui des années 1950-1960 ni le reflux qui lui succéda, mais au contraire une marche rapide, toujours de même sens qui est précisément le régime de « transition » : chute de la mortalité puis de la fécondité; mais, dans ces cas, la première et la deuxième phases tendent à se confondre et cette double descente s'accomplit en un court laps de temps. Cette vitesse et cette concentration laissent subsister, dans le tableau démographique qu'offrent actuellement ces nations, des « arriérés » dus à la lourdeur temporelle des phénomènes démographiques, des héritages comme une structure d'âge souvent plus jeune, des archaïsmes provenant de l'isolement géographique ou sociologique de certaines couches de ces populations moins touchées que d'autres par le raz de marée de la modernisation.

Deux cas particulièrement significatifs : l'URSS et le Japon éclaireront davantage notre propos.

La démographie soviétique

La dynamique propre à la démographie russe depuis la prise de pouvoir par les soviets peut se résumer en quelques chiffres. En 1915 la population de la future URSS comptait 165 millions d'habitants avec des taux de natalité (46 ‰) et de mortalité (28,6 ‰) très élevés. A la veille de la Seconde Guerre mondiale, la population avait augmenté : 191 millions. La natalité était encore très haute : 31 ‰ mais la mortalité nettement inférieure : 18,1 ‰. Après la grande épreuve de la guerre en 1945 et malgré les aménagements territoriaux, la population avait diminué : 173 millions. En 1955, le nombre d'habitants a dépassé celui de 1939 :

196 millions et natalité et mortalité ont, toutes deux, fortement baissé : 25,7 ‰ et 8,2 ‰ respectivement. Les dernières vingt années sont caractérisées par un bond en avant de la population soviétique qui atteint 250 millions en 1973 et 255 millions très probablement en 1975. En 1973, la natalité a encore baissé : 17,8 ‰ bien davantage que la mortalité (8,2 ‰) qui paraît avoir atteint un palier.

Après avoir été exactement comparables, les données démographiques de l'URSS et des États-Unis divergent depuis 1970. Le taux d'accroissement soviétique est légèrement supérieur : en 1973, 1 % contre 0,8 %. De même la natalité soviétique est-elle un peu plus forte : 17,8 ‰ contre 15,6 ‰ à la même date. Le taux de mortalité continue à être plus favorable pour l'URSS que celui de tous les pays occidentaux y compris les États-Unis mais, comme nous le verrons, remonte de façon très significative depuis cinq ans environ.

La mortalité infantile a décliné de 40 % en soixante ans et l'espérance de vie du citoyen soviétique qui était de quarante-sept ans en 1938 est égale aujourd'hui à celle du citoyen américain : soixante-dix ans (soit, en trente-cinq ans, vingt-deux ans de gagnés), un quasi-record et la conclusion d'une lutte contre la mortalité particulièrement efficace.

Le parcours d'un régime démographique ancien au régime moderne à fécondité et mortalité réduites a exigé plus d'un siècle et demi pour l'Occident. Il a été accompli en URSS en moins de soixante-cinq ans, malgré des difficultés et des épreuves incomparables.

Outre cette très notable différence dans le *timing*, l'expérience démographique soviétique s'est déroulée dans un contexte global particulier et présente à ce double titre des caractéristiques qui lui sont propres. Toute l'histoire de la population en URSS est en effet dominée par les traits originaux de l'industrialisation et de la politique spécifique de population délibérément adoptée dès les premières années de l'installation du nouveau pouvoir.

Très en avance sur son temps, l'URSS, sous l'impulsion personnelle de Lénine, adoptait en 1920 des mesures sociales au premier chef mais dont l'incidence démographique allait s'affirmer d'année en année. Un rappel doctrinal est ici nécessaire pour comprendre l'attitude du communisme et de l'Union soviétique devant les questions démographiques. Le problème de la population n'a pas été au centre des recherches de Marx qui s'est surtout attaqué à détruire les affirmations de Malthus et les conclusions qu'en tiraient les économistes classiques plutôt qu'à construire une doctrine cohérente de population. La position théorique élaborée par Marx et Engels est fondée sur l'affirmation que la surpopulation ne découle pas d'une loi naturelle éternelle, d'une insuffisance globale des ressources comme l'a soutenu Malthus mais d'une répartition viciée de celles-ci à l'intérieur d'un régime économique et social précis : celui de la propriété privée, du capitalisme. La malédiction du nombre peut coexister avec une pléthore de subsistances, au sein de populations stationnaires, en expansion ou en régression car le phénomène n'est pas d'ordre démographique : il est déterminé par les besoins de l'exploitation capitaliste. C'est donc un phénomène contingent et inconnu du régime communiste où l'exploitation capitaliste a cessé. « Les marxistes ne craignent ni la surpopulation ni la dépopulation », affirmait en 1965 à Belgrade un délégué des pays socialistes.

La baisse profonde de la natalité est également considérée comme une séquelle du capitalisme qui se révèle incapable d'assurer aux familles ce qu'il est déjà bien incapable d'apporter aux seuls individus. En bref il n'existe pas de problème de population à proprement parler, quel que soit le sens dans lequel il paraît se présenter, mais un problème de la suppression de l'exploitation capitaliste. La doctrine postule qu'une société en constante expansion économique comme la société soviétique, dont la production et le niveau de vie augmentent, est capable de maîtriser les mouvements de la population grâce à la régulation, à l'équilibre de sa fertilité et de sa mortalité. Tel est, d'après les démographes soviétiques, le bilan de l'histoire démographique de l'URSS depuis 1917. En pratique cependant, peu de nations au monde ont connu depuis cette date une telle succession de cataclysmes démographiques à travers les guerres civiles ou internationales, les répressions politiques et les catastrophes naturelles. Un démographe, américain il est vrai, estimait que, par le jeu de ces facteurs, les taux exceptionnellement élevés de décès, les baisses du taux des naissances qu'ils ont entraînées, les pertes démographiques de l'URSS entre 1913 et 1959 peuvent être chiffrées à 70-80 millions d'habitants.

Initialement, alors que l'abondance économique était encore un lointain objectif, le gouvernement soviétique proclama l'égalité des sexes, légalisa l'avortement et la contraception, réduisit les formalités du mariage et du divorce. A cette époque, 1920, le motif principal de ces mesures n'était pas démographique. Il s'agissait en premier lieu de détruire cette bastille qu'était la famille bourgeoise, de libérer les individus et tout principalement la femme. Cet arsenal juridique était axé, dans son intention, sur l'émancipation de la personne. En fait il autorisa une baisse de natalité d'autant plus sensible que, de 1920 aux premières années de 1930, les séquelles de la guerre civile, les campagnes autoritaires de collectivisation, la construction forcenée de l'industrie lourde, l'impérieuse nécessité d'édifier une puissance soviétique entraînaient certainement une augmentation de la mortalité. En 1936 les exigences du développement économique provoquaient un énorme appel de main-d'œuvre que risquait de contrarier l'évolution toujours descendante du taux de natalité. Cette constatation entraîna un premier tournant dans la politique soviétique. A cette date les formalités de divorce sont compliquées et surtout l'avortement est condamné comme acte criminel sauf pour des raisons médicales limitées. En même temps le gouvernement soviétique met sur pied pour la première fois un programme d'allocations familiales (pour les familles de 7 enfants au moins).

Une troisième étape s'ouvrit en 1944 après l'hécatombe qui saigna littéralement l'URSS : 25 millions d'habitants en moins, 15 millions de naissances en moins, 40 millions de pertes humaines en sept ans. Pour combler cette perte, des mesures négatives et positives sont adoptées. D'un côté le divorce est rendu très difficile, l'union libre n'est plus reconnue, la recherche de paternité est interdite, les célibataires et les couples sans enfants sont taxés. D'un autre côté, les allocations familiales sont étendues aux familles de 3 enfants et substantiellement accrues, des médailles et des primes sont accordées aux mères de familles nombreuses.

Dès janvier 1948 cet arsenal nataliste était largement démantelé et les allocations familiales réduites de moitié. Il est très probable que les difficultés économiques sont à l'origine de ce prompt revirement, celles de l'agriculture notamment qui, outre une déficience chronique, souffrit d'une sécheresse accentuée en 1946. D'autre part, les Soviétiques constataient chez eux, comme dans tous les pays frappés par la guerre, un relèvement de la natalité. Cette croissance de population, en plein effort de reconstruction à la mesure de l'étendue des ruines à réparer, entraînait une charge difficilement supportable et qu'il fallait à tout prix diminuer. Par nécessité sans aucun doute, le point de vue économique immédiat l'emportait sur le point de vue démographique, le court terme sur le moyen terme.

Les vingt années suivantes — de 1950 à 1970 — constituent une période exceptionnelle dans l'histoire du peuple russe, car ce furent deux décennies de paix intérieure et extérieure.

En 1955, les autorités soviétiques adoptent une nouvelle politique : le gouvernement légalise de nouveau l'avortement et décide d'intensifier la distribution et d'améliorer l'efficacité des contraceptifs. Ce changement officiellement justifié comme un retour à l'orthodoxie léniniste en ce sens qu'il doit réduire le nombre des avortements clandestins et conduire en conséquence à la reconnaissance du droit des femmes à avoir ou ne pas avoir d'enfants, a probablement entraîné des conséquences démographiques de fait.

Une démographie socialiste?

Le bilan de l'action soviétique reflète en premier lieu une certaine ambiguïté par rapport à la doctrine qui est censée l'inspirer. Tout en mettant l'accent sur le développement des infrastructures économiques et sociales qui permettent le développement de l'individu et de la famille et tout en se défendant d'avoir mis en œuvre une politique proprement démographique, le gouvernement soviétique n'a pu négliger les terribles variations enregistrées au sein de la population au cours de toutes ses épreuves. A la tête d'une contrée immense dotée d'énormes ressources naturelles, les dirigeants soviétiques ont toujours été optimistes et en ce sens pro-natalistes.

Khrouchtchev dans sa rondeur a bien résumé en 1955 leur position : « ... si 100 millions d'habitants s'ajoutaient aux 200 millions actuels, eh bien, même ce chiffre ne serait pas suffisant. » A cet optimisme s'opposent pourtant des décisions pratiques qui conduisent *nolens volens* à un programme de contrôle de population, à l'adoption de lois ou de règlements que l'on qualifie ailleurs de néo-malthusiens : avortement légal, vente libre et encouragement à l'usage de contraceptifs notamment.

Mais, d'autre part, le gouvernement soviétique a soutenu à l'extérieur une position rigide qui consiste à s'opposer en bloc à toute mesure de limitation de la population pour toutes les nations qui auraient justement un besoin urgent et impérieux, sinon de juguler, du moins de contrôler leur expansion démographique. Pendant près de vingt ans, de 1947 à 1963, en effet, la position du bloc soviétique à l'ONU et dans ses instances annexes : Commission de la population, Conseil économique et social, etc. a été un refus sans nuances de considérer les conséquences de l'explosion démographique. Le dégel de la guerre froide, la coexistence pacifique ont amené dans ce domaine à partir de 1963 une appréciation plus mesurée et moins négative. Pour autant, que ce soit sur le plan international ou intérieur, la politique objective de l'URSS en matière démographique est loin de réaliser ce qu'une appréciation réellement socialiste des problèmes de population permettrait de définir.

Si le but du socialisme est la plénitude de l'existence individuelle et sociale, il entraîne, dans le problème qui nous occupe, un double objectif : chaque famille doit avoir le nombre d'enfants qu'elle désire et ce nombre doit coïncider avec l'intérêt général de la nation. L'usage des contraceptifs doit donc être admis sans restriction et supplanter l'avortement dont il n'est pas besoin de souligner le danger et le côté rétrograde. Par ailleurs tous les enfants mis au monde ont un droit égal à l'existence et aux mêmes chances, quels que soient leur nombre et leur rang. Il n'y a pas de socialisme si l'ensemble des moyens destinés à réaliser ces buts ne sont pas effectivement disponibles pour tous. A cet égard, les obstacles qu'opposent les goulots d'étranglement économiques ou sociaux interdisent, tant qu'ils subsistent, la réalisation et du socialisme et de la liberté.

Si par ailleurs la natalité est en deçà de l'objectif souhaité, la tentative de faire rejoindre les volontés individuelles avec la volonté collective ne peut passer que par le biais d'encouragements et non d'interdictions. On est encore assez loin de cette position idéale en URSS et dans tout le bloc soviétique. Comme le signalait A. Sauvy, il en coûte toujours moins d'empêcher la vie que de l'assurer et à cet égard les gouvernements communistes, dominés par des impératifs économiques et les difficultés d'après-guerre, n'ont pas ouvert de brèche nouvelle dans ce domaine. La voie autoritaire partout suivie va même dans certains cas en sens inverse de celle du socialisme bien compris.

L'extrême pression suscitée par la construction d'une industrie avancée explique l'insuffisance des mesures positives que déterminerait, en d'autres circonstances, l'application de la théorie socialiste. Tant que la natalité reste conforme au modèle d'une économie préindustrielle, et donc très largement suffisante, aucun effort n'est fait pour rectifier les inégalités entraînées entre les familles par la présence d'enfants plus ou moins nombreux. La consécration de toutes les ressources à l'édifice industriel s'exprime à travers le maintien d'une notion purement capitaliste du salaire : à chacun selon son travail et non à chacun selon ses besoins. La réponse collective fut une baisse des naissances d'autant plus profonde et plus rapide que la pression économique était plus vive.

Malgré ses paradoxes et son anachronisme, le bilan démographique de l'URSS est dans ses grands traits proche de celui de l'Occident car, en une chronologie raccourcie, les mêmes forces ont agi. En ce sens le processus fondamental du développement économique paraît avoir des répercussions démographiques similaires, qu'il s'exerce dans le cadre du système capitaliste ou socialiste. Les facteurs idéologiques ont certainement beaucoup moins d'importance dans la détermination du niveau de fécondité et le fonctionnement des variables que la situation économique et sociale des familles. Quel que soit le régime envisagé, la modernisation est source de contraintes analogues et entraîne également le même comportement. Depuis la Seconde Guerre mondiale, la convergence du statut démographique entre URSS et États-Unis, Europe de l'Est et Europe de l'Ouest s'est réalisée sans distinction notable de régime politique. Cette convergence de fait infirme la théorie suivant laquelle une reproduction harmonieuse et une augmentation régulière de la population caractériseraient les mouvements démographiques en régime socialiste [1].

Il serait cependant sommaire de conclure que la chute de natalité et l'effondrement de l'accroissement naturel sont à long terme inhérents au socialisme. L'évolution récente de l'Occident a permis de constater qu'un bond de prospérité économique peut se conjuguer avec un accroissement de natalité et qu'il n'y a pas en définitive de courant irréversible dans l'évolution démographique. A mesure que les pays socialistes se rapprochent du régime démographique nouveau, il devient plus difficile de formuler des prévisions sur leur futur démographique. Là encore aucun avenir n'est déterminé et, bien que leur développement se déroule dans

1. Il est vrai que dans les pays socialistes d'Asie et en Albanie on observe un taux de natalité très élevé de l'ordre de 35 ‰ et un accroissement dépassant 2 % par an. Mais ce type de fécondité est le même que celui qui domine dans les pays en voie de développement récemment émancipés et qui ne font qu'aborder la transformation radicale de leur économie.

un contexte indéniablement original, il n'est pas possible pour autant de dégager une évolution caractéristique de la population et donc des pronostics assurés. Déjà très avancés sur la voie de la révolution démographique, les pays socialistes européens tendent à combler en peu d'années les retards d'origine économique ou sociologique les différenciant des nations qui, sur un rythme plus lent, ont accompli leur mutation.

La démographie japonaise

L'histoire de la population du Japon, tout en présentant des analogies avec celle des pays que nous avons évoqués, attire plus spécialement l'attention des démographes par des caractéristiques originales. Alors que toutes les nations parvenues au dernier stade de la révolution démographique appartiennent à une civilisation commune, celle de la chrétienté et du monde occidental, le Japon est le premier pays à avoir parcouru le cycle de la transition dans le cadre d'une civilisation purement asiatique, bouddhiste et shintoïste, dont les valeurs sont apparemment inconciliables avec celles de l'Occident. L'expansion démographique y fut dès le début marquée par un effort conscient et soutenu d'orientation. Enfin l'histoire toute récente du Japon est dominée par une contraction de la natalité sans précédent et par son accession au rang de troisième puissance industrielle du monde.

Dès que des chiffres certains sont disponibles, ils démontrent la singularité de la démographie japonaise. Le premier dénombrement eut lieu en 1721 et donne 25 millions d'habitants (ce chiffre est considérable : il dépasse celui de la France, nation européenne la plus peuplée à cette date), en 1846 la population n'a presque pas bougé : 26 millions d'habitants. Cette quasi-stagnation à long terme, conforme à ce que nous savons du régime démographique traditionnel, est obtenue dans une certaine mesure par une tendance générale favorable à la prévention des naissances tout autant qu'à la prédominance de la mortalité. L'avortement, l'infanticide (des filles surtout) est très largement attesté. L'opinion publique était hostile aux familles nombreuses et ceci dans toutes les classes. Enfin l'âge du mariage était tardif et fut un moment fixé légalement à trente ans minimum.

Le Meiji ouvre le Japon aux techniques occidentales et au développement économique mais dans un réflexe de défense et de protection. L'avortement et l'infanticide sont désormais interdits mais aucune aide à la natalité n'est instituée. La lutte contre la mortalité est amorcée et l'augmentation de l'effectif est rapide. Entre 1872 et 1922 la population passe de 33,8 millions à 56,2 millions. La transformation du Japon se poursuivant en même temps que se renforce l'édification de l'industrie, la croissance démographique s'accélère, grâce à la baisse de la mortalité et malgré une diminution légère du taux de naissance à partir de 1920 : 65 millions en 1930, 73 millions en 1940. Durant cette période les difficultés économiques apparues pendant la crise de 1929 posaient le problème de la population. La réponse fut nettement populationniste en accord avec la politique générale de cette époque. L'accroissement de population étant considéré comme un instrument de la puissance de l'État, la diffusion des techniques de contraception est interdite et en 1941 des mesures natalistes extrêmes sont adoptées; l'objectif est d'atteindre 5 enfants par famille pour donner au Japon une population de 100 millions d'habitants. Pourtant, le taux de natalité passe de 36,2 ‰ en 1920 à 26,2 ‰ en 1940, une valeur encore élevée. De son côté la mortalité s'abaisse fortement : 25,4 ‰ en 1920, 16,4 ‰ en 1940 dégageant un taux d'accroissement annuel de 1,4 % par an.

L'exiguïté du territoire, le manque de ressources naturelles, la dépendance accrue vis-à-vis des marchés extérieurs, une optique fasciste dans l'action politique et démographique, conduisent aux guerres et aux annexions coloniales que l'on sait, doublées d'une émigration annexe.

La catastrophe de la guerre révèle brutalement l'ampleur du drame japonais. Les territoires conquis doivent être abandonnés, les colons occupants rapatriés (plus de 6 millions). Les chômeurs encombrent les villes, la surface des terres exploitée par famille tombe de 0,9 hectare en 1938 à 0,74 hectare en 1950. C'est la disette en même temps que la ruine. La consommation générale en 1948 n'atteint que 55 % du niveau de 1940. Continuant sur sa lancée, la population augmente toujours (83,2 millions en 1950).

Face à ces obstacles le gouvernement japonais décide en 1948 de renverser la vapeur. Abolissant la politique pronataliste antérieure, il autorise une réduction volontaire et accélérée de la natalité. La loi sur l'eugénisme votée en 1948 et amendée en 1949 favorise la limitation des naissances, laissée à l'initiative de groupes privés, du corps médical, des particuliers eux-mêmes. La stérilisation est rendue obligatoire dans certains cas, l'avortement est subordonné au seul consentement de la mère et de son conjoint. Des bureaux de consultation, des conseils matrimoniaux sont créés pour informer et répandre les diverses méthodes de contrôle des naissances. La foudroyante chute des naissances qui suivit l'adoption de cette loi fut principalement due aux avortements cliniques. Le taux de natalité remonté à 34,3 ‰ en 1947 tombe à 17,2 ‰ en 1957, une chute de 50 % en dix ans seulement, fait unique dans les annales de la démographie. En 1957 le nombre des avortements officiels atteint 1 200 000 pour 1 500 000 naissances et, compte tenu des avortements clandestins, il est possible qu'il y ait eu pendant quelques années plus d'avortements au Japon que de naissances. Aussi en 1963 le taux de naissances est-il des plus bas du monde, 25 % en dessous de celui des États-Unis, le taux de reproduction est légèrement en dessous du taux de remplacement (0,9) et la population menacée par un vieillissement intense est tout près de décroître avec un taux d'accroissement annuel de 0,3 %. Malgré la chute des taux de natalité et de reproduction, la population japonaise augmente toujours, certes plus lentement mais encore sensiblement et le cap des 100 millions est dépassé en 1970 — 107 millions en 1973 —, bien que, pendant près de quinze ans, le taux de reproduction ait été inférieur à celui de l'Europe occidentale. C'est le résultat, déjà noté à plusieurs reprises, de la poussée démographique antérieure, de la jeunesse de la population combinée à une nouvelle baisse de la mortalité qui passe de 16,9 ‰ en 1940 à 7 ‰ en 1970.

A dix ans d'intervalle, de 1963 à 1973, la morphologie

de la population japonaise s'est modifiée. Si la mortalité demeure très basse, le taux de naissances s'est quant à lui légèrement relevé et se situe au-dessus des niveaux américain et soviétique : 19 ‰ avec un taux d'accroissement cette fois positif de 1,2. Le phénomène le plus notable cependant est la diminution considérable des avortements provoqués. Après la pointe de 1957 qui dépasse 1 200 000, le chiffre de 1969 doit se situer autour de 700 000. A la suite des recommandations gouvernementales, l'accent est mis sur une vigoureuse promotion de la contraception. Ce changement d'optique rejoignait sans aucun doute le vœu de l'opinion publique. En quelques années effectivement les techniques de contraception sont adoptées et pratiquées à une échelle très proche de celle des pays occidentaux. La progression est spectaculaire : en 1950, 19,5 % des femmes japonaises utilisent la contraception, 51,9 % en 1965, 77,4 % en 1968. Le recours à l'avortement chute du même coup : 41 % des femmes japonaises interrompent leur grossesse de ce fait en 1961, 22,6 % seulement en 1968. Le renversement dans les mœurs a une portée encore plus considérable que la baisse de naissance précédente. Il indique un passage fondamental : la population a basculé définitivement et appartient désormais au régime démographique nouveau. D'autres signes corroborent ce diagnostic.

Deux indices sont particulièrement suggestifs : l'espérance de vie à la naissance, d'une part, le taux de mortalité infantile, d'autre part, sont très proches des valeurs moyennes obtenues dans les pays occidentaux. Le rôle charnière accordé au 3e enfant pour l'évolution future des pays riches se retrouve également au Japon et là encore la transition a été particulièrement rapide. En 1950, 50 % des couples estiment normal d'avoir plus de 4 enfants. Dix ans plus tard 85 % des parents de 3 enfants n'en désirent pas davantage, 20,8 % des ménages ne désirent qu'un enfant ou pas du tout. En 1950, 28 % des familles japonaises comptent 4 enfants au moins; en 1962, elles ne sont plus que 6 % tandis que les familles à enfant unique passent de 27 à 47 %. La révolution de mentalité qu'implique ce virage vers un idéal d'une famille réduite explique à elle seule la large acceptation de l'avortement en un premier stade, la facilité avec laquelle les techniques de contraception ont été acceptées en un second stade. Le profond accord de l'opinion publique avec les mesures autorisées par le gouvernement justifie leur succès.

Les facteurs qui ont conduit à ce modèle inédit pour le Japon moderne, mais se rattachant à une vieille tradition d'une famille à effectif réduit, sont bien évidemment ceux qui ont joué ailleurs : une urbanisation et une modernisation conduites ici tambour battant.

La population japonaise est en fait sur la voie d'une intégration totale au régime démographique nouveau. Ce résultat acquis en un très court laps de temps est le fruit de l'industrialisation à outrance qui donne au Japon une place éminente parmi les puissances industrielles de notre temps. La transformation du contexte économique au Japon n'est en effet pas moins spectaculaire que celle du climat démographique.

Le bond industriel est amplement reflété par l'évolution de la population active. Les emplois agricoles passent de 38,5 % en 1951 à 23 % en 1967. A la même date la population industrielle représente 33,5 % de la population active tandis que les emplois tertiaires en comptent 43,4 % (39,4 % seulement en Europe). Les résultats maintenant acquis permettent d'augurer un avenir brillant que retardent sans le compromettre la crise du pétrole et l'absence quasi totale au Japon de sources d'énergie et de ressources en matières premières. Le Japon, comme l'Europe de l'Ouest et les États-Unis est sur la voie de l'économie post-industrielle et va combler l'écart qui le sépare encore des pays les plus avancés.

Si, grâce à une longue tradition de frugalité et d'économie, les Japonais épargnent massivement, ils ne sont plus aujourd'hui, individuellement, les moins bien lotis des citoyens de l'Occident économique. Le produit national brut par tête s'est élevé très rapidement de 1965 à 1975 passant de 875 à 1 920 dollars par tête : supérieur à celui de l'URSS, de l'Italie même. Il est impossible de dire aujourd'hui si cette amélioration se poursuivra ou même se maintiendra pour faire du Japonais l'homme du monde le plus privilégié en 2000 après l'Américain.

Un bond aussi impressionnant ne sera possible que grâce à la quasi-disparition du fardeau démographique. Le fait que le Japon soit près d'achever le cycle de sa transition permet de considérer que la progression de la population sera modeste et que les 107 millions d'aujourd'hui ne dépasseront pas 130 millions d'ici vingt-cinq ans. Cette appréciation tient compte de la légère hausse du taux de natalité constatée depuis 1963 et pourrait être remise en cause par une variation importante de ce facteur. Doté des caractéristiques démographiques propres aux pays avancés, le Japon affronte les mêmes problèmes généraux qu'eux : le vieillissement d'abord (en 2000 le Japon comptera 1 sexagénaire pour 5 habitants); le fait ensuite que son avenir démographique risque d'être soumis à des aléas absolument imprévisibles, comme par exemple le *baby boom* d'après-guerre en Occident. Nos projections sont donc fragiles et doivent être constamment réadaptées à une situation mouvante.

Le survol de la problématique démographique de l'URSS et du Japon a permis de confronter des nations dont les traits généraux sont dissemblables sinon opposés, qu'il s'agisse de la situation géographique, du cadre de civilisation, du développement historique, des institutions politiques enfin. Un dénominateur commun justifie cependant une comparaison : dans les deux cas ces nations ont franchi les étapes de la révolution démographique et abordent avec une rapidité surprenante la mutation démographique que nous avons vu se préciser dans les pays occidentaux. En même temps que s'accomplissait ce bouleversement, ces pays ont créé de toutes pièces une industrie puissante et transformé leur économie à une allure jusqu'alors inégalée.

Il est peu probable que ces exemples puissent être suivis « à la lettre » et que le modèle soviétique ou le modèle japonais soient adoptables sans de grandes modifications. Il n'en demeure pas moins cependant que ces pays apportent le témoignage éclatant de la possibilité, souvent contestée, d'une double performance : assurer dans une période de temps minimum une double maturité, celle de la démographie et celle de l'économie.

Cette leçon ne doit pas être oubliée alors que nous abordons l'examen des pays en voie de développement.

6

L'explosion à maîtriser

De l'avis général, le tiers monde constitue le pot au noir de la démographie mondiale. C'est là que s'accumulent et se libèrent les forces obscures d'une formidable éruption du nombre.

Les chiffres sont éloquents. Au début du XXe siècle, le monde comptait 1 milliard et demi d'habitants. La division était nette entre 500 millions d'Européens et d'Américains, et le milliard d'hommes qui composait le reste du monde. De ce « reste », la grande majorité vivait en Asie, sous la coupe directe ou indirecte de l'Europe. L'Afrique et l'Amérique latine demeuraient, sous l'angle démographique, des poids coqs (220 millions d'habitants).

En 1973, la population mondiale a plus que doublé : elle dépasse 3 milliards 800 millions d'hommes et la croissance s'est faite essentiellement dans le tiers monde. En même temps des bouleversements politiques considérables ont transformé la carte du monde et anéanti un vocabulaire : colonies, empire, indigène et tout un fatras idéologique sur la mission civilisatrice de la race blanche.

Cette vague démographique n'est rien cependant en

comparaison du raz de marée que réservent les vingt-cinq prochaines années [1]. Dans le monde, chaque semaine apporte un accroissement net de population de 1 million 500 000 personnes et en 1973 notre planète aura vu sa population augmenter de 78 millions d'hommes. Quarante ans auparavant l'accroissement annuel ne dépassait pas 20 millions. Avec le taux de croissance actuel de 2,1 %, la population mondiale doublera en 32 ans et franchira le seuil des 4 milliards en 1975, des 5 milliards en 1986, des 6 milliards en 1995 et des 7 milliards 600 millions en 2006. La période de doublement présente cependant des différences très marquées lorsque l'on s'attache à la définir pour les diverses régions de notre globe. L'Amérique latine doublera sa population en vingt-quatre ans, l'Afrique en vingt-huit, l'Asie en trente mais l'URSS en soixante-dix ans, les États-Unis en quatre-vingt-sept ans, l'Europe en cent soixante-quinze ans.

L'énorme expansion démographique que le monde va connaître en vingt-cinq ans marquera particulièrement les pays du tiers monde qui assureront à eux seuls 85 % de l'accroissement total. Leur taux de développement est plus du double de celui des nations riches et, suivant l'estimation moyenne des Nations unies éditée en 1963, leur population augmentera de 132 % entre 1960 et 2000, près du double de l'accroissement de 70 % réalisé entre 1920 et 1960. En l'an 2000 ce groupe comptera 5 milliards 90 millions d'hommes, soit les trois quarts de la population mondiale au lieu des

1. Cette évocation constitue le morceau de gloire et la tarte à la crème de certains ouvrages d' « anticipation » à tendance démographique. Nous ne désirons pas enrichir le florilège déjà très nourri de ces apocalypses et les chiffres recueillis ci-dessous sont moins destinés à faire passer un frisson qu'à éveiller l'attention et à provoquer la réflexion.

deux tiers de 1960. Plus significatif encore : le taux d'accroissement à cette date, c'est-à-dire le potentiel d'expansion ultérieure, restera aussi élevé qu'en 1970 en Afrique, presque aussi haut en Amérique latine. Il aura diminué légèrement en Asie, et peut-être plus fortement en Chine. Si le rythme d'accroissement démographique continuait à un taux proche de 2 % l'an, pendant un siècle seulement, les pays sous-développés compteraient 34 milliards d'habitants en 2100, près de dix fois la population mondiale de 1970. A la même

ESTIMATIONS ET HYPOTHÈSES CONCERNANT LE VOLUME PASSÉ ET FUTUR DE LA POPULATION DANS LE MONDE, ET DANS LES RÉGIONS ACTUELLEMENT DÉVELOPPÉES ET PEU DÉVELOPPÉES EN 1970 ET AU COURS DE LA PÉRIODE 1750-2000

	Population en millions			Répartition en %	
Année	Total mondial	Régions développées	Régions peu développées	Régions développées	Régions peu développées
1970	3 631	1 090	2 541	30,0	70,0
1750	791	201	590	25,7	74,3
1800	978	248	730	25,6	74,4
1850	1 262	347	915	27,7	72,3
1900	1 650	573	1 077	34,7	65,3
1950	2 486	858	1 628	34,5	65,5
2000	6 494	1 454	5 040	22,4	77,6
(2050)	**(11 000)**	**(2 000)**	**(9 000)**	**(18,2)**	**(81,8)**

SOURCE : « La situation démographique dans le monde en 1970 », *Études démographiques*, n° 99, ONU, New York, 1972.

échéance, les pays riches auraient 3 milliards et demi d'habitants, 10 % de la population mondiale contre un tiers actuellement.

Voici, résumées (p. 154) de 1750 à 2050 l'évolution des populations développées et peu développées.

Une autre conséquence de l'explosion démographique est l'important déplacement du centre de gravité de la population mondiale vers le sud. Ceci est dû d'une part aux différences considérables d'accroissement entre continents : entre 1975 et 2075 la population européenne pourrait s'accroître encore de moitié, celle de l'Amérique du Nord, de l'URSS et de l'Est asiatique du double. Dans le même intervalle, la population du Sud-Est asiatique sera multipliée par 4, celle de l'Amérique latine par 5, celle de l'Afrique par 6. Si en 1925 un habitant sur six de la planète était européen, en 2075 ce ne sera peut-être qu'un sur dix-sept. Si en 1925 les trois cinquièmes de l'humanité vivaient dans l'hémisphère nord, en 1975 il n'y en a plus qu'une moitié et dans un siècle moins d'un tiers. Ce renversement et les positions relatives de chaque ensemble géographique sont condensées dans le tableau page suivante.

Ce formidable déferlement biologique dans un aussi court délai, quatre à cinq générations, est unique dans l'histoire de la population. L'énormité des chiffres paraît en soi-même redoutable. Bien davantage encore le rythme qui animera la multiplication des masses humaines. Cette conjonction compromet, sur tous les plans, l'équilibre jusqu'alors maintenu entre la population et un support écologique qui est limité sous un triple aspect : aliments d'abord, ressources au sens large ensuite, enfin espace.

POURCENTAGE DE LA POPULATION MONDIALE DANS HUIT GRANDES ZONES de 1925 à 2075

Zones	**1925**	**1950**	**1975**	**2000**	**2025**	**2050**	**2075**
Total mondial	**100,0**	**100,0**	**100,0**	**100,0**	**100,0**	**100,0**	**100,0**
Groupe septentrional	**61,4**	**56,1**	**49,4**	**40,8**	**34,7**	**31,0**	**29,4**
Amérique du Nord	6,4	6,7	6,0	5,1	4,4	3,9	3,7
Europe	17,3	15,8	11,9	8,7	7,0	6,1	5,8
Union soviétique	8,6	7,2	6,4	5,1	4,2	3,8	3,7
Asie orientale	29,1	26,4	25,1	21,9	19,1	17,2	16,2
Groupe méridional	**38,7**	**43,8**	**50,6**	**59,2**	**65,3**	**69,1**	**70,7**
Amérique latine	5,0	6,5	8,1	10,0	11,7	12,6	13,0
Afrique	7,8	8,7	9,8	12,6	15,1	17,2	18,4
Sud asiatique	25,4	28,1	32,2	36,1	38,0	38,8	38,8
Océanie	0,5	0,5	0,5	0,5	0,5	0,5	0,5

SOURCE : *Courrier de l'Unesco*, mai 1974.

A ce point, et sans que pour autant ce risque réel soit négligé ou sous-estimé, un moment de réflexion s'impose pour tenter de préciser l'étendue et le sens de l'explosion qui se profile. Peut-être convient-il en premier lieu de jauger la probabilité des projections que nous pouvons faire en ce domaine. Nous bornerons cette recherche au domaine temporel le plus immédiat, celui des vingt-cinq prochaines années, nous refusant les joies mathématiques des projections séculaires. D'autre part, revenant sur un passé récent, nous verrons comment il y a cinq ans la situation du tiers monde semblait présenter les amorces d'une évolution originale et bien différente de celle que la démographie classique pouvait alors prévoir. On reviendra dans le prochain chapitre sur ces diverses voies, avenues ou impasses et sur le sort que ces années courtes mais d'une extrême densité pour notre propos, leur ont réservé.

Explosion démographique... ou statistique

Dans les années 1930, les démographes élaborèrent des projections des populations européennes et américaines, les seules ayant à cette époque une véritable existence statistique. Ces travaux fondés sur une méthode nouvelle, celle de l'analyse des composantes, ne pouvaient cependant que prendre en compte les données démographiques objectives des pays considérés, et notamment la baisse importante du taux de natalité. L'adoption des nouvelles techniques de recherche avait suscité les plus grands espoirs chez les spécialistes et de la confiance dans le public. L'ensemble de ces projections s'accordait sur ce point : elles anticipaient la persistance de la chute de la natalité, un arrêt de la croissance numérique et un fléchissement généralisé de la population dès 1970. On sait ce qu'il en fut et le démenti infligé à ces perspectives dans tous ces pays où la reprise de la natalité s'affirmait avant même la fin de la guerre.

Au premier Congrès mondial de la population en 1954, il était devenu patent que les pays développés s'orienteraient vers une tout autre voie. Ce Congrès se passionnait cependant pour un nouveau signal d'alarme : celui qu'avaient tiré en 1951 les Nations unies en publiant à cette date leur première série de projections mondiales. Bien qu'expérimentales car réalisées au milieu d'un quasi-désert statistique, pour la plupart des pays du tiers monde, cette étude créa un véritable choc. Ce fut la première donnée chiffrée sur l'explosion démographique et sur l'éventualité d'un doublement de la population mondiale. Avec l'accumulation et la diversification des matériaux statistiques, le perfectionnement des méthodes d'étude, les Nations unies ont fait paraître des projections mondiales en 1954, en 1958, en 1963, puis 1968 et finalement 1974 [1]. Il serait difficile d'exagérer l'importance de la prise de conscience qu'entraînèrent ces publications. Jamais auparavant un organisme fondé et soutenu par la communauté mondiale n'avait donné ainsi à tous les hommes la possibilité d'évaluer les bouleversements qui se préparaient. Il n'est pas moins remarquable que ces projections successives se soient révélées assez spectaculairement erronées par sous-estimations successives et qu'à chaque stade de publication l'accroissement réel ait substantiellement dépassé le niveau considéré antérieurement comme le plus plausible. C'est ainsi que la variante la plus forte de la population mondiale en 1980 estimée en 1951 était de 3 636 millions; cette même estimation en 1954 était

1. « Concise Report on the World population situation in 1970-1975 and its Long-Range Implications », *Population Studies*, n° 56, ONU, New York, 1974.

de 3 990 millions et en 1957 de 4 280 millions, soit un écart de 650 millions. Pourtant cette dernière estimation de la variante forte est encore inférieure à celle *moyenne* retenue en 1963 pour la même année 1980 : 4 330 millions. La révision de 1968 donne elle aussi pour 1980 une estimation moyenne plus élevée : 4 460 millions. Si l'on pousse la perspective jusqu'à l'an 2000 — en demeurant dans la fourchette de la variante moyenne — l'estimation 1968 de la progression de la population mondiale est de 6 % plus haute que l'estimation de 1963. Ce relèvement comporte une augmentation de 0,8 % seulement des régions développées, soit 12 millions, une augmentation de 7,5 % pour les pays en cours de développement, soit 352 millions. L'obtention des données plus précises, l'ajustement conséquent des données de base, l'adoption de nouvelles hypothèses concernant la mortalité et la fécondité corrigées au vu de l'expérience passée, tous ces facteurs ont finalement et jusqu'à aujourd'hui joué dans le même sens : des révisions d'estimation toujours en hausse de la population future. L'ONU souligne à juste titre que ce relèvement incessant ne se prolongera pas nécessairement lors des prochaines révisions. Quoi qu'il en soit de l'avenir, ces projections ne se contentent pas d'accumuler les données officielles les plus récentes et les plus sérieuses : elles représentent une étude très serrée et techniquement la meilleure dans le domaine jusqu'ici hasardeux de la prévision démographique.

Quel est le degré de vraisemblance de ces chiffres? Il s'agit de savoir d'abord comment ils ont été obtenus. Une projection de la population n'est pas une prévision, mais le résultat de calculs à partir des données statistiques qui reflètent l'état actuel de la population et d'une extrapolation suivant certaines hypothèses concernant l'évolution probable dans une période déterminée des diverses composantes démographiques : natalité, mortalité, nuptialité, migration, etc. Autrement dit les Nations unies ne prétendent pas prévoir ce qui va réellement se passer mais ce qui pourrait raisonnablement se passer si... Il est donc indispensable que les données de base fournies par les recensements généraux périodiques (quinquennaux ou décennaux) ou recueillies au jour le jour par les états civils soient complètes et exactes. Si un certain progrès a été effectué dans le monde depuis vingt ans puisque 80 % de la population mondiale ont été recensés une ou plusieurs fois, il n'en est pas de même pour les statistiques d'état civil : 53 % de la population mondiale seulement seraient régulièrement enregistrés. Aussi bien manque-t-on des renseignements démographiques fondamentaux pour la moitié du monde à peu près. C'est dire la fragilité et le caractère approximatif des calculs effectués à partir de bases aussi déficientes.

Sur cette base, les Nations unies ont défini un certain nombre d'hypothèses, les unes explicites et qui donnent lieu à trois variantes de progression, une forte, une moyenne, une faible; les autres implicites. Ces dernières concernent l'environnement général de l'évolution des populations au cours des vingt-cinq prochaines années. On suppose qu'il n'y aura ni conflit général atomique, ni famine massive, ni épidémie de grande ampleur. Les diables malthusiens sont, semble-t-il, définitivement conjurés. D'autre part on présume qu'un progrès modéré et sans à-coups de l'économie permettra d'élever notablement le niveau de vie des régions pauvres, mais sans que le rythme soit précisé. Enfin on admet également l'improbabilité de bouleversements scientifiques, techniques, économiques ou sociaux qui altéreraient radicalement les conditions des développements économiques ou démographiques.

Sous l'angle spécifiquement démographique, l'ONU est parvenue à des hypothèses plus précises. La variable mortalité, qui reste un élément dominant de la situation démographique du tiers monde, est supposée poursuivre la voie descendante entamée il y a près de vingt ans. Le fléchissement se maintenant à l'allure des années 50-70, l'espérance de vie devrait s'accroître dans tous les pays envisagés. Les pays riches, quant à eux, approchent d'un seuil et le terme de soixante-quatorze ans atteint dans les années 80 ne devrait pas s'améliorer sensiblement au-delà. Pour les autres continents, en l'an 2000, les Latino-Américains devraient avoir une espérance de vie de soixante-neuf ans (cinquante-sept ans en 1965), les Asiatiques soixante-quatre ans (quarante-sept en 1965), les Africains cinquante-sept ans (quarante-deux en 1965). Cette hypothèse de mortalité a été adoptée pour toutes les variantes qui se différencient uniquement par les divers paris faits sur le mouvement de la fécondité, la grande inconnue de ces projections. A titre d'exercice intellectuel, on a calculé l'accroissement de population résultant d'une mortalité déclinante combinée à une fécondité constante telle qu'elle a été observée dans les années 1950. Le résultat est impressionnant (7 522 millions en l'an 2000), mais il constitue dès aujourd'hui un simple jeu théorique, le seuil des 7 milliards ne devant pas être franchi à cette date.

Les Nations unies ont admis une décroissance quasi mondiale de la fécondité. Le problème primordial pour les pays du tiers monde est de déterminer à quel moment s'amorcerait ce fléchissement, d'estimer le rythme et l'ampleur qu'il pourrait atteindre. Pour savoir à quel moment cette descente s'amorcerait, l'ONU — et c'est là une importante novation par rapport aux projections antérieures — s'est livrée à une évaluation subjective des conditions générales, économiques, sociales, etc. régnant dans chaque région. Cette appréciation du moment étant évidemment imprécise, on a donc émis trois séries de dates qui donnent elles-mêmes lieu à la variante faible, moyenne ou forte suivant la date retenue : plus la date est lointaine, plus la progression est forte.

Toutes les hypothèses se rejoignent sur un point : à un moment ou à un autre la révolution démographique atteindra un accomplissement universel; la fécondité rejoindra le niveau d'équilibre, celui de la reproduction nette, de la stabilité et oscillera de part et d'autre de ce niveau. Ainsi sera rejoint ce point zéro qui brille dans l'horizon démographique comme le terme de tant d'espoirs et de tant de craintes. Les variantes ne diffèrent qu'en ce qui concerne la marche dans le temps et l'allure que prendra ce déclin. C'est ainsi que, pour l'établissement de la variante « moyenne », les calculs effectués ont permis de déterminer à quelle date « moyenne » le taux de reproduction brut devrait tomber en deçà de 1,10 et la fécondité devenir inférieure à 2,2-2,3 enfants par femme. Les résultats de cette étude sont repris dans le tableau ci-contre :

Groupe septentrional	Dates
Amérique du Nord	vers 2005
Europe	— 2000
Union soviétique	— 2015
Asie orientale	— 2005

Groupe méridional	Dates
Amérique latine	— 2030
Afrique	— 2040
Sud asiatique	— 2025
Océanie	— 2020

La stabilité de la fécondité n'implique pas pour autant l'arrêt corollaire de la croissance démographique. Cette dernière continuera sur sa lancée tant que la structure par âge héritée de la période antérieure d'explosion amènera aux âges reproductifs des classes d'âge nombreuses. La transformation de la pyramide des âges est un phénomène à longue échéance et la seconde condition indispensable pour modérer ou stopper la croissance. Il n'en reste pas moins notable que dès maintenant les taux d'expansion les plus élevés vont bientôt faire partie du passé. Le second tableau est essentiel à cet égard : il nous montre que la période quinquennale d'accroissement maximum en valeur absolue se situe entre 2010 et 2015, où la population mondiale augmentera chaque année de 110 millions d'habitants, et que d'autre part tout un ensemble démographique aussi important que le groupe septentrional l'expansion maximale est accompli ou tout près de l'être :

Groupe septentrional	**Dates**	**Croissance annuelle** [1]
Amérique du Nord	1980-1985	3,9
Europe	1960-1965	4,0
Union soviétique	1955-1960	3,6
Asie orientale	1980-1985	17,3
Groupe méridional		
Amérique latine	2005-2010	17,2
Afrique	2020-2025	23,6
Sud asiatique	2010-2015	46,6
Océanie	1985-1990	0,6

1. En millions.

Pour l'établissement de ces prévisions l'ONU a dû enfin s'attaquer à une énorme et intrigante énigme : le problème de la Chine. Ce pays, qui représente à lui seul 20 ou 25 % de l'humanité, ne dispose pas de séries cohérentes et sûres de statistiques et il n'y existe pas de données prouvées relatives soit à la natalité, soit à la mortalité, soit à l'accroissement de la population. L'unique recensement remonte à 1953 et des estimations partielles sur les composantes du mouvement démographique ont été données de 1953 à 1957. C'est le silence total depuis. L'étendue du « possible », démographiquement parlant, est dans de telles conditions considérable. L'éventail des projections peut ainsi s'étendre de 2 milliards à 1 milliard à la fin du présent siècle, soit que la fécondité des années 40 s'associe à une mortalité déclinante, soit que les objectifs du gouvernement populaire en matière démographique : réduction à 1 % du taux de croissance annuelle puissent être atteints. L'ONU s'est cantonnée à une fourchette plus réduite, mais le minimum projeté (variante faible) étant de 900 millions, le maximum (variante forte) de 1 milliard 500 millions, c'est un écart de 600 millions qui suffit à lui seul à introduire une incertitude majeure sur les pronostics non seulement asiatiques mais encore mondiaux.

Ce substantiel handicap ne fait qu'accroître la marge d'arbitraire qui entoure nécessairement ces projections. Dans l'état actuel de la science démographique, les travaux de l'ONU offrent le meilleur document possible, mais il n'en faut pas moins souligner leur caractère aléatoire. La part étant faite des déficiences statistiques, irrémédiables à court terme même avec l'aide des sondages, trois remarques s'imposent. L'hypothèse de base, celle de la baisse de fécondité procède d'un jugement *a priori* uniquement étayé par l'expérience antérieure des pays développés. Il en est de même pour les dates de départ de ce mouvement et l'on trouve d'importantes divergences entre les experts à ce sujet. La même remarque s'applique à la courbe proposée pour la baisse de mortalité; nous y reviendrons. Enfin l'affirmation implicite de la continuité sans faille des courants de transition enregistrés dans le passé a déjà pu être mise en doute. Le modèle fourni par l'évolution démographique des pays développés ne semble plus valable aujourd'hui pour décrire le volume et le rythme de la croissance future de ces populations soumises à des sollicitations absolument nouvelles. La situation présente du tiers monde offre des contrastes frappants avec l'évolution du monde industrialisé depuis son entrée dans la révolution démographique. Nous avons précédemment constaté que la baisse de mortalité est intervenue pour les pays pauvres à un stade de développement économique et social très différent de celui qu'avaient atteint les pays riches lorsque ce même mouvement s'y est déclenché. Aussi bien, et ce point est le plus important, la croissance, une croissance phénoménale, de la population, autrefois déterminée par la prospérité, paraît aujourd'hui détachée de cette contrainte; en ce qui concerne donc le premier stade de la révolution démographique — la baisse de la mortalité — la rupture semble désormais acquise et il n'y a plus subordination de la démarche démographique au précédent économique. Encore convient-il de remarquer que cette autonomie a été acquise récemment, dans le contexte de la prodigieuse élévation de richesse de continents entiers. L'impérialisme est un système mondial et englobe dans son orbite les pays mêmes qu'il exploite : il est la manifestation d'une réelle cohésion et comporte un surplus de retombées non négligeables. Quoi qu'il en soit, on a tendu à extrapoler le détachement démographique à ce premier stade et, poussant le raisonnement plus loin que les faits, à conclure à la possibilité d'un total accomplissement de la transition démographique — dans toutes ses étapes — sans aucun parallélisme économique. Cette position théorique sur l'évolution quasiment autonome des structures démographiques n'a pas manqué d'avoir un impact certain et nous verrons ultérieurement ses conséquences et le sort final qui lui a été réservé.

L'espérance de vie « importée »

Il faut reconnaître, et les démographes en conviennent les premiers, que nous nous sommes trompés dans nos prévisions. Échec en 1930 quand le déclin de l'Occident paraissait irrémédiable, échec en 1950 et depuis avec les sous-estimations et les rajustements successifs d'un accroissement qui dépassait sans cesse les prévisions les plus fortes. Cette leçon inspirée d'une expérience sans démenti incite à la modestie, d'autant plus grande que la théorie du « raccourci démographique » semblait fondée sur des signes objectifs tendant à remettre en cause les hypothèses implicites ou explicites de l'ONU, à dessiner les grandes lignes d'un schéma différent de l'avenir démographique. Le corps des arguments, les éléments principaux de ce jugement auquel adhérait la majorité des experts de tous bords au début de cette décennie ne manquaient pas de poids. Il y a sans doute bien des enseignements à tirer de ce dessin tel qu'il se présentait en 1970 et que l'on peut reconstituer dans ses grandes lignes.

Nous avons trouvé dans un passé récent la manifestation sans équivoque d'une modification majeure dans le comportement démographique du tiers monde. Le phénomène qui déclencha au cours des trente dernières années la grande poussée démographique du « reste » du monde a été une brutale diminution de la mortalité. Ce phénomène présente des caractères particuliers qui soulignent sans ambiguïté la spécificité de l'entrée de ces pays dans le cycle de la transition. Rappelons-en l'essentiel.

Vers 1920 la position de la mortalité dans les régions sous-développées par rapport à l'Occident était simple et sans nuance : l'espérance de vie dans tous les continents pauvres était toute proche de celle du régime traditionnel et avoisinait trente-cinq ans.

Cet état de fait ne se modifia pratiquement pas jusqu'à la fin de la Seconde Guerre mondiale. Depuis 1945-1950 et très subitement, on assiste à une chute fantastique des taux de mortalité : au Chili, à l'île Maurice, dans d'autres pays d'Asie du Sud-Est, la baisse a dépassé 40 % de 1950 à 1965. Actuellement les taux les plus bas de mortalité sont enregistrés dans le tiers monde, car c'est là également, du fait de la fécondité élevée, que la population est la plus jeune. Les dernières années furent en conséquence marquées par un accroissement sans précédent et totalement imprévu de la durée de vie moyenne : au Mexique en une génération, de 1930 à 1965, elle passe de trente-deux à soixante-deux ans; à Formose, de quarante-cinq à soixante-cinq ans pendant la même période. Pendant dix ans et dans un grand nombre de contrées, l'espérance de vie a augmenté d'un an ou plus chaque année.

Toute comparaison, tout parallèle historique entre l'Occident et le tiers monde prouve à l'évidence la rupture intervenue, non pas dans le mécanisme de la révolution démographique, mais dans son allure et son rythme. Les conquêtes de l'espérance de vie en Europe ont été irrégulières et surtout lentes : trente-cinq ans à la fin du XVIIIe siècle, cinquante ans en 1900, soixante-cinq ans en 1940. Là au contraire c'est un irrésistible bond en avant qui entraîne tous les continents et offre au peloton de tête des chances d'existence proches de celles des pays industrialisés : en 1973, à Formose, soixante-dix ans pour les femmes, à Porto Rico, à la même date, soixante-dix ans également pour les hommes.

Non moins révélatrices que ce dynamisme sont les causes qui l'engendrent. Contrairement à l'expérience occidentale, le facteur dominant de la baisse de mortalité n'est pas l'amélioration des conditions économiques, mais la soudaine mise à disposition de ces populations des techniques sanitaires, une lutte systématique contre la maladie et les épidémies par l'intermédiaire d'une action gouvernementale qui s'est révélée très efficace.

Cette véritable révolution silencieuse a suggéré qu'un raccourci pouvait peut-être être envisageable dans le processus global qui entraîne cette majorité de l'humanité sur la voie démographique tracée par l'Occident, mais à une allure tout à fait différente : celle qui sépare la diligence de l'avion à réaction. Le « court-circuit » constaté dans le seul domaine de la mortalité ne peut-il se répéter alors qu'on aborde le second stade de la transition, celui de la domination de la fécondité, et faire basculer ainsi, par l'adoption d'un tempo précipité, ces populations dans le nouveau régime démographique et compromettre du même coup la sage lenteur de nos prévisions?

Premiers signes du déclin de la natalité

La baisse de natalité qui suivit en Europe et en Amérique du Nord le *baby boom* d'après-guerre, la chute quasi verticale des naissances au Japon ont accaparé l'attention des spécialistes. Dans le même temps un phénomène analogue se dessinait pourtant dans quelques recoins discrets de l'Extrême-Orient et cette ébauche, malgré son caractère absolument novateur et son extrême importance, semblait ignorée. Il pouvait s'agir en effet d'un accident temporaire, ou d'un artifice comptable dû à une amélioration de l'enregistrement statistique.

La persistance de cette baisse depuis plus de quinze ans, l'importance des écarts dans les taux enregistrés permettent aujourd'hui d'affirmer qu'il ne s'agit ni d'un accident temporaire ni d'un artifice statistique.

Régions	**1962**	**1973**
Formose	37,4	27
Hong Kong	35,6	20
Singapour	35,1	22,6
Panama	41,2	37
Porto Rico	31,1	25
Ile Maurice	38,0	26

Ce tableau ne porte que sur un petit nombre de pays où les informations démographiques sont relativement sûres.

Pour les pays que nous venons de citer la baisse est profonde. A Hong Kong, en 1973, la natalité se situe entre celle de l'Espagne et des Pays-Bas après une baisse de près de la moitié en dix ans. Des baisses d'un tiers dans le même intervalle à Porto Rico, à Singapour, etc. sont déjà considérées comme très rapides. Quelques caractéristiques sont communes à cette avant-garde: l'épicentre du mouvement est en Asie du Sud-Est et concerne des populations chinoises ou d'origine chinoise; toutes ces populations ont une mortalité très faible, surtout la mortalité infantile; dans toutes également la baisse de la fécondité résulte essentiellement de la prévention des naissances. Enfin il faut signaler qu'il s'agit en majorité soit d'îles, soit de lieux isolés par un accident de l'histoire comme Hong Kong. L'expérience en cours dans ces véritables laboratoires démographiques est captivante. Si la tendance observée depuis dix ans dans ces contrées devait se poursuivre, en l'an 2000, la fécondité de ces pays aurait diminué régulièrement pour atteindre un taux de reproduction égal à 1, analogue à celui des pays industriels, laissant bien augurer d'une stabilisation relativement proche des populations.

Cette expérience, concentrée sur des isolats, est limitée graphiquement et numériquement. Il était tentant d'extrapoler de ces résultats de laboratoire. C'est ce qui fut fait entre 1965 et 1970 lorsque d'autres signes apparurent épaulant les résultats obtenus dans ce microscome et ouvrant la perspective d'une possible contraction de la baisse de la fécondité. Trois facteurs furent mis en cause.

Citons d'abord les révélations apportées par les premières enquêtes — américaines — sur la fécondité dans le monde, qui dévoilaient l'expression d'un souhait universel de réduction de la dimension des familles. Dans le même temps arrivaient sur le marché des techniques de contraception économiques, simples d'emploi et sûres : la pilule réunissait toutes ces qualités et paraissait devoir être le point de départ d'une véritable révolution contraceptive. Enfin l'adoption, en quelques années, de politiques de population orientées et structurées dans une importante partie des pays en voie de développement débloquait une voie longtemps barrée.

Cette conjonction absolument originale rassemblait en un faisceau cohérent tout à la fois la certitude mondiale d'une commune motivation individuelle, déterminante en ce domaine; l'appoint de techniques efficaces et à la portée de tous; au-delà l'appui des pouvoirs publics dans une direction où jusqu'alors une neutralité malveillante était la règle.

Une telle conjonction ne pouvait manquer d'apporter de l'eau au moulin du raccourci démographique. Ces deux derniers facteurs — techniques de contraception sûres et programmes gouvernementaux orientés — introduisaient des éléments tout à fait nouveaux et l'histoire n'avait en conséquence aucun enseignement à apporter à leur sujet : ni confirmation, ni démenti de leur impact réel.

Le premier de ces « ingrédients » est peut-être celui qui a le plus surpris les experts. Une impressionnante enquête, par sondages sur échantillons, réalisée dans les années 60 dans près de trente pays, les *Kap Studies* sur la planification familiale, représente la plus vaste entreprise de statistiques comparées à ce jour sur un sujet essentiel : celui de l'attitude de ces populations à l'égard de la taille des familles. A la surprise générale les réponses obtenues ont infirmé l'idée que l'on se faisait jusqu'alors sur cette question. Personne ne mettait en doute la croyance maintes fois exprimée que, dans tous les pays pauvres, leurs habitants s'efforçaient au nom de principes, de valeurs sociales et religieuses traditionnelles et immuables de maintenir une fécondité maximale que seule l'évolution économique et sociale, aboutissement du processus de modernisation, pourrait modifier cette orientation. Tout au contraire cette enquête a permis de constater que, dans tous les continents, la limitation de la taille des familles était souhaitée de même qu'une information sur les moyens à utiliser. Le trait remarquable de cette enquête est sans doute l'uniformité des réponses. La très grande majorité des parents consultés désirent des familles de taille moyenne, pas plus de 4 enfants et, s'ils ont déjà une famille plus grande, ils désirent ne plus avoir d'enfants, et ceci quelle que soit leur race, leur religion, leur nationalité ou leur langue. Cette universalité vers un objectif que l'on pouvait considérer comme relativement modéré n'indiquait-elle pas l'existence d'un potentiel substantiel en faveur sinon du contrôle des naissances du moins du but qu'il poursuivait? Cette volonté latente paraissait n'attendre pour se réaliser que de voir mettre au point les voies et moyens nécessaires.

Du côté des moyens un progrès essentiel était effectivement et dans le même temps accompli. Il y a vingt ans un accord général existait sur le fait que les méthodes classiques de contraception ne pouvaient trouver d'application étendue dans le tiers monde. Sous aucun aspect, elles n'étaient appropriées à leurs besoins, soit par l'attention qu'elles exigent, soit par la préméditation qu'elles impliquent, soit par leur liaison avec l'acte sexuel, soit enfin par leur efficacité douteuse. Cette situation a été complètement modifiée par le lancement sur le marché mondial, d'une part, de la pilule vers 1960, d'autre part, du stérilet vers 1965. La pilule est extrêmement efficace, à 1 % près, mais doit être régulièrement prise. Elle a été adoptée d'emblée dans les pays avancés également en Amérique latine.

Le stérilet, ou dispositif intra-utérin, avec la stérilisation est à la base des politiques de planification familiale car c'est le seul procédé efficace qui ait été plus ou moins accepté dans le tiers monde. Il est très bon marché (15 centimes), il ne demande aucun effort, son insertion est facile et il peut rester en place indéfiniment. La sécurité est quasi absolue, avec une seule réserve cependant : un nombre non négligeable (5 à 10 %) d'expulsions ou de retraits. D'autres échecs tiennent à des effets secondaires. Le stérilet est donc finalement moins effectif que la pilule mais son acceptation par toutes les couches de population peut en faire aujourd'hui malgré un coefficient d'insuccès de 20 % le moyen le plus pratique d'atteindre une baisse notable de la fécondité. Probablement près de 15 millions de femmes dans le tiers monde ont dès maintenant adopté le stérilet qui est produit industriellement en Corée du Sud, à Formose, à Hong Kong, en Inde, au Pakistan et en Turquie. Rappelons qu'il y a plus de 600 millions de femmes en âge de procréer dans les régions peu développées du monde.

Nous ne sommes d'ailleurs qu'au début d'un progrès technique considérable dans ce domaine. La physiologie de la reproduction est l'objet de nombreuses recherches. Les tentatives s'effectuent dans des axes divers; quelques-unes sont tout près d'aboutir : la mini-pilule, la capsule, la pilule du « matin suivant », la pilule à injection mensuelle ou même annuelle, plus tard encore le contraceptif masculin.

La volonté et les techniques réunies, il manquait encore un élément pour franchir un nouveau pas sur la voie de la réalisation concrète d'un contrôle des naissances. Dépourvus d'informations sérieuses, souvent écrasés par la pauvreté, ces femmes et ces hommes ne pouvaient, réduits à leurs misérables ressources, réaliser leurs désirs. En ce sens la mise sur pied des campagnes de planning familial n'est pas moins essentielle que les deux facteurs précédents et peut permettre le passage des souhaits individuels à une politique globale concertée. L'expérience occidentale est dans le meilleur des cas celle d'un refus délibéré de toute action gouvernementale dans ce secteur, dans le pire des cas, les plus nombreux, une opposition à l'adoption et à l'extension des mesures de réduction des naissances, considérées comme immorales et subversives. Pendant longtemps la position du « laissez faire » fut suivie également dans le tiers monde. Dans une large mesure, l'indépendance politique, les pressions exercées par les économistes, les planificateurs et les services de santé provoquèrent un changement d'orientation qui représente, mis à part le cas du Japon, la première tentative généralisée et systématique d'agir sur la fécondité. L'explosion démographique, sans que l'on s'en soit bien rendu compte, a éveillé avec les années une réaction chez ceux qui la subissent. Les individus l'ont exprimé dès que l'on a pris la peine de les consulter et cette réaction ne pouvait manquer de s'exprimer sur le plan politique. Déjà l'initiative des pouvoirs publics avait été décisive pour réduire la mortalité et c'est à la suite de campagnes vigoureuses que la malaria, la tuberculose, etc. ont été éliminées et la vaccination généralisée. Ce sont les mêmes méthodes, les mêmes administrations, une volonté analogue de l'État qui ont été mises à la disposition de l'action sur la vie pour tenter de contrebalancer les résultats souvent inespérés obtenus sur la mort.

Aussi bien, dans un court laps de temps, une série de mesures ont été prises dans un grand nombre de pays pour l'adoption d'une politique de planning familial centrée sur le contrôle et la régulation des naissances. C'est une innovation sans précédent dans l'histoire démographique mondiale. Se propageant comme une traînée de poudre, les politiques de planning familial ont démarré en Asie et y sont désormais fortement implantées. 95 % des Asiatiques vivent dans des nations disposant d'un programme public ou privé contre 25 % en Afrique (Nord surtout) et 15 % en Amérique du Sud. Parmi ces pays, les grands ténors : Inde, Chine populaire, Pakistan, Égypte, Iran, etc. et quelques absents de taille : le Brésil, le Nigéria, 21 nations d'Afrique, etc. L'étendue et la diversité des politiques retenues rendent impossible une énumération individuelle. Les deux tableaux ci-contre permettent cependant de constater la diffusion de la pratique de la planification familiale depuis 1960. On doit ajouter que 109 pays (dont 82 en voie de développement) appliquent également des programmes financés par des organismes privés.

Le second tableau donne une indication précise sur l'augmentation parallèle des budgets correspondants aux politiques publiques de population.

NOMBRE DE PAYS APPLIQUANT DES PROGRAMMES OFFICIELS DE PLANIFICATION FAMILIALE

	1960	**1965**	**1970**	**1974**
Afrique	0	4	9	10
Amérique latine	1	3	15	20
Asie et Océanie	3	11	21	23
Pays développés	3	5	9	12
Total	**7**	**23**	**54**	**65**

SOURCE : *Population et Sociétés*, n° 77, février 1975.

AIDE OFFICIELLE ET PRIVÉE AUX ACTIVITÉS EN MATIÈRE DE POPULATION EN MILLIONS DE $

1960	2,1	**1968**	58,0
1963	10,7	**1970**	126,7
1966	34,3	**1972**	182,7

SOURCE : *Population et Sociétés*, n° 77, février 1975.

Du fait même de l'énormité du problème démographique qu'elle a à affronter, l'Inde a été la première nation en voie de développement à mettre sur pied un programme de planification familiale qui a longtemps été considéré comme exemplaire par l'ampleur des moyens qui lui ont été consacrés, l'aide internationale dont il a bénéficié, le rôle pilote qui lui a été attribué. Un programme de recherche avait été entrepris dès 1954 et intégré au premier plan de développement (en effet pour tous ces pays le planning familial n'est qu'un moyen pour un but économique et social prioritaire : l'élévation du bien-être). Dès 1960 on comptait 1 349 centres de planification familiale, 3 100 experts et plus de 7 millions de personnes avaient été reçues dans les centres. La stérilisation était à cette époque largement pratiquée et plus d'un million de vasectomies ont été réalisées entre 1960 et 1964. Le stérilet modifia substantiellement le programme qui fut revu de fond en comble en 1966. Avec plus de 8 000 centres en activité, 15 000 personnes employées à plein temps, un budget dépassant 80 millions de dollars, l'Inde s'était attaquée simultanément au recul de l'âge au mariage, à la continuité de l'effort de stérilisation masculine, au développement modéré de l'emploi des préservatifs et surtout à une diffusion massive du stérilet qui était en principe bien accepté : le but visé en 1965-1966 était d'éviter, par ces divers moyens, 9 millions de naissances annuelles et d'abaisser ainsi le taux de natalité à 27 ‰ pour qu'en 1975 l'Inde compte 40 millions d'habitants de moins que ce qu'aurait laissé prévoir une expansion à fécondité constante. On verra plus loin à quel degré de réalisation effective on est parvenu au terme fixé.

D'une façon générale tous ces programmes ont été ambitieux et fixent des objectifs théoriques « maximalistes » : sur une durée de cinq à dix ans, ils cherchent à réduire le taux de croissance de la population de 1 %, le taux des naissances de 10 à 15 points et, pour ce faire, à transformer 25 à 30 % des reproducteurs potentiels en planificateurs familiaux. A plus longue échéance le but à atteindre est de rejoindre le taux de naissance de l'Europe occidentale d'il y a soixante-quinze ans ou celui des États-Unis d'il y a cinquante ans. Là encore un bilan — provisoire — mérite d'être établi et l'on reviendra prochainement sur ce que dix ans d'application apportent à ces prévisions.

Les résistances à la diffusion de ces politiques se manifestent un peu partout mais notamment en Amérique du Sud, la partie du globe pourtant où le rythme d'accroissement est le plus élevé. Le besoin d'une limitation de la taille des familles y est sans doute ressenti au moins aussi vivement qu'ailleurs mais les contraintes politiques et économiques propres à ce continent expliquent dans une large mesure ces réticences. Outre l'influence non négligeable de l'Église catholique [1], c'est un double refus qui s'exprime : celui de la domination sans nuance des États-Unis, malhabile promoteur de ces programmes et celui de voir substituer aux indispensables réformes économiques et sociales la seule limitation des naissances, arme des conservateurs. Ces refus se sont renforcés au cours des années. Ils forment désormais un corps doctrinal qui s'est manifesté avec force à la Conférence mondiale de la population tenue à Bucarest en août 1974. Ils sont à l'origine de la « politisation » récente des problèmes de population, signe manifeste de la prise en main par les pays du tiers monde de leur destin démographique. Nous reverrons ces développements récents.

A l'aube de notre décennie, il pouvait donc paraître

1. Nous avons noté précédemment l'établissement d'une norme de comportement démographique dans les pays avancés et ceci, quelle que soit la position sociale économique et *a fortiori* religieuse des couples. Les positions très fermes de l'Église catholique sur des questions aussi essentielles que l'avortement ou l'emploi des moyens contraceptifs ne modifient pratiquement pas la conduite réelle des ménages catholiques. Si l'Église catholique paraît très forte, dans ce domaine, en Amérique latine, c'est simplement parce que sa doctrine coïncide avec une réaction fondamentale de l'opinion publique.

légitime d'envisager qu'une rapide maîtrise de la fécondité à l'échelle mondiale n'était plus du domaine de l'utopie. Les conditions nécessaires pour amener ce renversement démographique étaient prêtes croyait-on, d'être remplies, conséquences du bouleversement massif que provoque souterrainement dans les attitudes, les mœurs et les conditions de vie, l'impact de plus en plus prononcé de l'irrésistible modernisation à laquelle aucun pays du monde ne peut prétendre échapper. On allait bientôt cueillir le fruit d'une extraordinaire contagion sociale où les moyens traditionnels de communication, du tam-tam au muezzin, ont été en quelques années supplantés par les techniques modernes audio-visuelles. Le transistor est présent partout aujourd'hui.

Déduction et anticipation s'opposaient ici à l'enseignement, jusque-là sans réplique, de l'histoire démographique : la prévention des naissances ne pouvait survenir avant que fût atteint un seuil économique et culturel relativement élevé. C'était la quadrature du cercle dans la mesure où l'expansion démographique le rendait précisément impossible. Bien des auteurs avaient essayé de chiffrer ce seuil : revenu minimal, consommation d'énergie, coefficient d'urbanisation, pourcentage de population agricole, niveau d'éducation, circulation des journaux, etc. Mais alors que la progression de ces indices demeurait désespérément lente, que la production alimentaire s'essoufflait, que les campagnes d'alphabétisation de l'UNESCO échouaient, que les revenus stagnaient, la possibilité d'un décollage démographique détaché de tout ce terre à terre économique paraissait de plus en plus proche.

La réflexion démographique des années 60 aboutissait ainsi à un bilan et des perspectives originales sur les problèmes de la population. La conclusion la plus générale en était sans doute que l'humanité se trouve à un tournant probablement décisif dans la longue histoire de la transition démographique et que la plus grande partie du tiers monde est à la veille d'aborder une étape majeure du contrôle des variables de population.

Dans un passé récent, on a vu se creuser et s'accuser une dichotomie sans nuance entre pays riches à faible fécondité et pays pauvres à haute fécondité; les barrières culturelles, religieuses, etc., les difficultés du démarrage socio-économique avaient bloqué l'évolution vers le régime démographique nouveau et l'on ne décelait aucune amorce sérieuse de changement majeur dans le tiers monde. En quelques années le changement de tableau est notable : il se pourrait qu'à la fin du siècle les pays en voie de développement soient parvenus à un contrôle de leur fécondité et qu'un allègement notable des taux de croissance soit en vue. Il se peut que rétrospectivement le XXe siècle apparaisse comme une époque charnière où l'humanité, ayant transformé de fond en comble ses conditions de vie et de pensée, se sera adaptée à la situation explosive créée par sa propre victoire sur la mort.

Mais les obstacles et les embûches ne manquent pas. C'est tout d'abord une lutte contre le temps et l'enjeu de la course contre la diminution de la mortalité et de la fécondité est justement là. Vingt-cinq ans seulement nous séparent du prochain siècle et, s'il est important de savoir quel sera à ce terme le chiffre de la population mondiale (5 ou 7 milliards d'hommes), la question essentielle sera plutôt : la population continue-t-elle à augmenter à un taux élevé ou est-elle sur le chemin de la stabilisation? En 2050, suivant l'hypothèse considérée, la fourchette n'est pas mince : 10 ou 30 milliards d'hommes!

D'autre part, et c'est irréversible, le monde sera beaucoup plus peuplé qu'il ne l'est aujourd'hui. Le potentiel démographique inscrit actuellement dans les structures d'âge des populations jeunes du tiers monde rend impossible, sauf un improbable sursaut de mortalité, l'arrêt brusque de la montée de population mondiale. Mais quand cette montée s'arrêtera-t-elle? A cette interrogation il n'est pas de modèle qui permette d'assurer notre démarche et de guider nos prévisions. Si la théorie de la transition nous fournit un cadre valable de raisonnement, c'est dans la description et l'ordre de succession de ses différents stades. Aucune assimilation ou comparaison historique ne peut plus être faite entre le tiers monde d'aujourd'hui et l'Ouest d'hier qui a vécu ce glissement sans technique contraceptive valable, sans programmes publics d'aide au planning familial, dans un climat général d'indifférence sinon d'opposition de l'État ou de l'Église. Face à cette inconnue, il n'en ressortait pas moins qu'il paraissait techniquement possible d'envisager un ralentissement rapide de la fécondité et un avenir axé sur cette nouvelle ligne. Toute conclusion chiffrée à cet égard eût été évidemment prématurée; les prédictions d'ailleurs font généralement plus d'honneur au courage de leur auteur que leur exactitude.

Soutenu par dix années de recherches, un approfondissement technique indéniable et dont l'apport subsiste aujourd'hui, le deuxième Congrès mondial de la population tenu en septembre 1965 à Belgrade allait reprendre, condenser puis lancer les faits et les thèmes principaux du bilan que l'on vient de considérer. Si le premier Congrès mondial de la population en 1954 à Rome avait été celui du grand effroi, dix ans après on entrevoyait le baume qui allait apaiser le mal. Rome avait été en effet la constatation, la reconnaissance chiffrée et précise, techniquement inattaquable de l'explosion démographique, de l'envolée du tiers monde qui ne faisait alors que s'amorcer. Cette révélation avait été un véritable choc pour l'opinion mondiale mal avertie jusqu'alors des profonds mouvements démographiques qui marquèrent la guerre et l'après-guerre. Le choc avait été particulièrement vif dans les pays occidentaux inconsciemment sensibilisés à leur position retardataire dans cette course au nombre qui leur avait été si profitable au siècle dernier. Cassandre et Malthus dans un même élan trouvaient dans cette appréhension un véritable bain de jouvence.

Si le péril démographique demeure à l'ordre du jour du deuxième Congrès mondial de la population, celui-ci n'en reste pas moins celui de l'espoir d'une solution envisageable pour faire face au danger. La démographie ici n'est plus seule en cause. Pendant les dix ans qui séparent ces deux manifestations, les Occidentaux, et tout particulièrement les Américains, se sont attachés à conjurer l'expansion démographique tant pour des raisons de principe — humanitaires — que par peur de voir saper, par le biais de la population, leur position privilégiée. La mise en place théorique du dilemme développement économique/expansion démographique, la formulation, l'adoption par les pays tiers de politiques de planning ont été en premier lieu leur fait. L'indéniable bien-fondé de certains de leurs avertissements amenaient même l'Union soviétique et le bloc socialiste à prendre en considération la surcharge démographique du tiers monde et à permettre qu'elle soit combattue; ceci à l'encontre d'une position théorique maintenue farouchement, on l'a vu, pendant des années.

A Belgrade, en 1964, les politiques de planning ont déjà démarré et le coupe-feu théorique à l'embrasement démographique apparaît clairement. C'est au cours de ce Congrès, ou de sa préparation, qu'a été explicitée une position dont les éléments existaient déjà mais n'avaient jamais été rassemblés avec une telle cohérence : la théorie du raccourci démographique. L'axe en est double : *a*) une chute importante et rapide de la fécondité dans le tiers monde peut être assurée par l'adoption généralisée d'un programme intensif de planning familial; *b*) la seule action démographique étant nécessaire et suffisante, on court-circuite du même coup toute action économique et notamment la profonde remise en cause des structures économiques qui est le préalable indispensable à tout effort d'amélioration du niveau de vie dans la plupart des pays en voie de développement. C'était faire d'une pierre deux coups : bloquer la marée démographique tout en maintenant la pauvreté, c'est-à-dire l'exploitation.

Le « raccourci » démographique influençait les termes du bilan démographique et plus encore les ébauches du futur de la population mondiale que le Congrès de 1964 avait à examiner.

Dix ans plus tard en 1974, au troisième Congrès mondial de la population, que reste-t-il de ce bilan, de ces ébauches et de la théorie qui les ont inspirés?

7

Contrôle démographique ou développement ?

Les dix dernières années marquent un tournant capital dans l'évolution de la démographie sur tous les plans — celui de la théorie comme de la praxis et un panorama nouveau s'est dévoilé à Bucarest en 1974. Le troisième Congrès mondial de la population, l'intense travail et les réflexions qui l'ont préparé, l'âpreté des débats, les réactions qui l'ont suivi permettent de situer effectivement à ce carrefour le point actuel sur les problèmes démographiques. C'est à sa lumière que l'on pourra procéder à cette appréciation des remises en cause (ou en ordre) qui se profilent au sein de la démographie ou dans sa mouvance au milieu d'un tourbillon intellectuel qui, pour être violent, n'en reste pas moins à tout prendre réjouissant.

On reprendra ici l'ordre des phénomènes énumérés dans le chapitre précédent et dont l'ensemble laissait entrevoir la possibilité d'une évolution rapide de la population mondiale.

Le premier d'entre eux était la baisse de fécondité qui s'esquissait en 1960 dans certains pays du Sud-Est, baisse qui, malgré sa modeste ampleur et son faible volume, ne manquait pas cependant de constituer un clignotant très caractéristique. Il convient de se souvenir que ces années 60 présentent un moment unique dans l'histoire démographique: celui du clivage le plus prononcé entre pays développés et moins développés. A cette époque en effet, les premiers avaient complété leur transition, accompli leur révolution démographique et abordaient le nouvel âge. Pour les seconds, il n'y avait aucune preuve tangible que le déclin de la fécondité eût démarré et que la dernière étape de la transition fût près d'être atteinte. En 1970, cette séparation sans nuance n'est plus vraie et le taux de natalité a cédé notablement et récemment dans au moins dix-sept pays en voie de développement pour atteindre des niveaux inférieurs au taux de 35 ‰.

La diffusion de ce mouvement ressort sans ambiguïté du tableau ci-dessous qui enregistre les variations du taux de natalité entre 1966 et 1969 et qui démontre que cette baisse a été beaucoup plus brusque et importante dans les régions de forte natalité, donc du tiers monde, que dans les pays à natalité faible, donc démographiquement avancés :

VARIATION DES TAUX DE NATALITÉ 1966-1969

Pays où le taux de natalité est de	Variation
45 ‰ ou plus	— 6,7 %
35 à 44,9	— 9,3 %
25 à 34,9	— 10,2 %
moins de 25	— 5,1 %

Le tableau suivant reflète cette évolution et confirme celui figurant déjà page 170, en illustrant d'une façon très parlante la chute de fécondité des six pays pionniers :

SOMME DES TAUX DE FÉCONDITÉ GÉNÉRALE PAR AGE

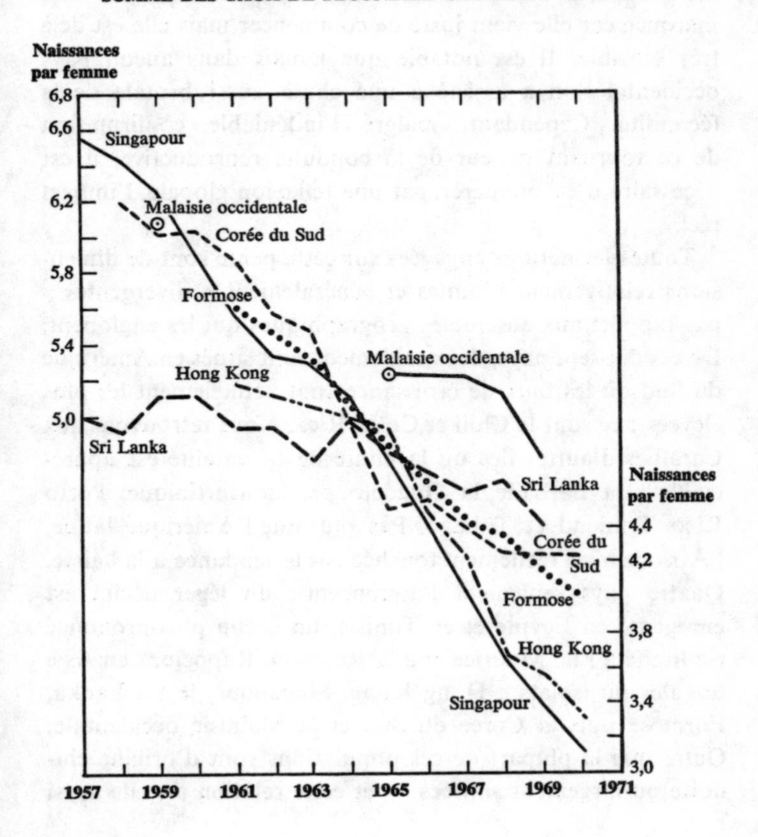

Ce sont les villes de Hong Kong et de Singapour qui ont la fécondité la plus basse : un peu plus de 3 naissances par femme contre 2 à 2,5 dans les nations industrialisées. A Formose et en Corée le chiffre ne dépasse pas 4 enfants, en Sri Lanka et en Malaisie occidentale la baisse est moins marquée car elle vient juste de commencer mais elle est déjà très sensible. Il est notable que jamais dans aucun pays occidental l'on a assisté à une chute aussi brutale de la fécondité. Cependant, malgré l'indéniable confirmation de ce tournant majeur de la conduite reproductive, il est nécessaire d'en pondérer, par une réflexion globale, l'impact réel.

Toutes les nations engagées sur cette pente sont de dimensions relativement réduites et généralement « divergentes » par rapport aux ensembles géographiques qui les englobent. De ces dix-sept pays, deux seulement sont situés en Amérique du Sud où les taux de croissance sont actuellement les plus élevées : ce sont le Chili et Costa Rica. Nous retrouvons aux Caraïbes d'autres îles où la chute de la natalité est appréciable : la Barbade, la Guadeloupe, la Martinique, Porto Rico, Trinidad et Tobago. Pas plus que l'Amérique latine, l'Afrique n'est réellement touchée par la tendance à la baisse. Quatre pays seulement l'annoncent : un léger déclin est enregistré en Égypte et en Tunisie, un déclin plus prononcé est limité à l'île Maurice et à la Réunion. Rappelons en Asie nos îles ou isolats : Hong Kong, Singapour, le Sri Lanka, Formose puis la Corée du Sud et la Malaisie occidentale. Outre que la plupart de ces populations sont d'origine chinoise ou largement sinisées — et cette relation est elle aussi significative comme on le verra par ailleurs —, deux remarques sont à faire à leur égard. Elles peuvent dans une large mesure s'appliquer à tous les cas précédents quel que soit le continent impliqué. En premier lieu, dans la plupart de ces nations, le déclin de la natalité est dû en grande partie à un changement dans l'âge au mariage : on s'y marie de moins en moins jeune. Par ailleurs, il convient de tenir compte du fait que le développement économique, sous une forme ou une autre, est devenu une réalité dans tous ces pays. En second lieu, et malgré tous les efforts en ce sens, l'évidence d'une réaction de la natalité aux programmes de planning familial en Asie ou ailleurs est extrêmement difficile à prouver. Les pays qui ont mis en train de tels programmes il y a maintenant sept à huit ans peuvent se ranger dans deux catégories : *a*) ceux dans lesquels un déclin substantiel s'est effectivement produit mais où ce déclin avait déjà commencé avant même la mise en place des programmes; *b*) ceux dont le taux de natalité est pratiquement sans changement que ce soit avant ou après le démarrage de ces programmes.

Resituer dans le cadre mondial la tendance à la baisse de la fécondité permet de ramener ce phénomène à sa juste proportion : modeste. Modeste par les chiffres des populations concernées : c'est particulièrement frappant en Asie où — la Chine mise à part — les pays à natalité déclinante ont un très faible poids démographique : 75 millions d'hommes face à 1 milliard. De plus, malgré l'extension récente de ce mouvement, la dichotomie démographique entre développés et moins développés ne cesse de s'accuser. Si, durant la période 1950-1955, les taux de naissances étaient près de deux fois plus élevés dans les seconds pays que dans les premiers, en 1965-1970 le contraste, loin de s'atténuer, s'est accentué.

Le « signe » n'a donc toujours pas revêtu le volume qu'on escomptait lui voir prendre. Qu'en est-il des trois approches qui l'accompagnaient et comment ont-elles évolué? Là encore les promesses sont loin d'être tenues. On se souvient que l'assise des programmes de planning familial a été la série d'enquêtes conduites dans les pays en voie de développement sur l'attitude publique à l'égard du contrôle de fécondité [1]. Les informations rassemblées par les sondages étaient toutes concordantes et permettaient de conclure à l'existence d'un « marché » potentiel brillant pour le contrôle des naissances. Partout en effet les femmes paraissaient favorables à la limitation du nombre de leurs enfants. Après dix ans de contradiction soutenue entre les résultats des enquêtes et les résultats démographiques, il paraît clair que l'on s'est mépris sur le sens donné par les femmes du tiers monde aux questions qui leur étaient posées et aux réponses qu'elles y apportaient. Au-delà de la bonne volonté qui pousse souvent l'interrogé à énoncer ce qu'il sent que l'interrogateur désire lui voir dire, il est acquis qu'un malentendu a dénaturé la question essentielle : « Combien désirez-vous d'enfants? » En effet la réponse et le nombre sont tout à fait différents lorsqu'il est précisé l'âge des parents. Quel nombre devra avoir la femme du centre de l'Afrique qui verra mourir quatre sur cinq des enfants qu'elle a mis au monde, ou l'Indien qui, pour être sûr de lui voir survivre un fils, devra avoir

1. Les *KAP Fertility Studies*, « Knowledge, Attitude and Practice », réalisées dans plus de vingt-huit nations.

au moins six enfants [1]? Outre cela, dans la plupart des pays pauvres où la population est rurale à 70 %, les gens ont des familles nombreuses non pas parce qu'ils ont plus d'enfants qu'ils n'en désirent mais bien davantage parce qu'ils veulent avoir beaucoup d'enfants. Plus important encore : ils désirent une nombreuse descendance car ils en ont réellement besoin à cause même de leur totale pauvreté, les enfants étant ici les substituts traditionnels aux machines ou à la main-d'œuvre salariée. Aussi bien certains chiffres ne sont-ils pas aussi éloquents qu'ils apparaissent au premier abord. C'est le cas des rapports de dépendance [2] : une proportion de jeunes (moins de vingt ans) de plus de 50 % dans la population totale du tiers monde, un rapport de dépendance de 81,4 % dans les pays en voie de développement contre un rapport de 59 % seulement dans les pays développés. Ne convient-il pas de tempérer ce que le contraste de ces coefficients semble dénoncer comme une surcharge économique entraînée par une fécondité excessive — un fardeau accablant de consommation et d'investissement — par la notion que ces inactifs (à notre sens) sont en fait dans une large proportion des productifs bien intégrés dans le système d'exploitation rurale auquel ils appartiennent?

La base sur laquelle on croyait pouvoir asseoir le contrôle de la fécondité cédant, il n'en reste pas moins que la contraception pouvait faire tache d'huile grâce à la facilité offerte par des techniques nouvelles et apparemment mieux adap-

1. Compte tenu de la structure de la mortalité dans son pays, un Indien, s'il veut avoir 15 chances sur 100 de conserver un fils vivant le jour de son 65e anniversaire, doit engendrer au moins six enfants.
2. Charge de l'entretien des inactifs (jeunes et vieux) par les actifs.

tées aux problèmes spécifiques des pays à haute fécondité. Là encore la déception a été vive. La pilule mise au point par Pincus il y a maintenant plus de quinze ans semblait promise à un bel avenir. Son efficacité est totale, son mode d'emploi simple. Malgré ses avantages elle n'est pas employée dans la très grande majorité des nations du tiers monde où son emploi est réservé aux classes les plus riches. Elle demeure relativement coûteuse, son emploi requiert une attention quotidienne et elle suscite un peu partout des réserves médicales ou des réactions d'opposition. En Inde, au Pakistan, au Bangladesh il n'y a pas plus que quelques milliers d'utilisatrices. Partout dans le monde on attend la pilule mensuelle ou annuelle, l'implant sous-cutané qui, pour un certain nombre de raisons, ne sont pas prêts d'être mis sur le marché. Les réticences des pays moins développés sont curieusement doublées de réticences non moins vives des pays riches et ceci même aux États-Unis. En 1970, 34 % des femmes mariées aux âges reproductifs utilisaient la pilule. Alors que son usage s'était considérablement accrû jusqu'en 1967, depuis cette date l'extension est stoppée et la pilule a marqué un net temps d'arrêt sinon un recul. Le stérilet qui semblait devoir bouleverser les données du problème n'a pas rempli non plus, loin de là, les espérances que l'on fondait sur lui. Après un départ fulgurant il est en recul dans divers pays. En Inde, par exemple le dispositif intra-utérin employé à plus de 850 000 exemplaires en 1965 ne l'est plus qu'à 360 000 actuellement, réinsertions comprises. Certaines complications ont jeté sur cette méthode un discrédit certain. Devant l'échec des nouvelles techniques, l'avortement et la stérilisation continuent à être ou deviennent les instruments principaux du contrôle des naissances dans le tiers monde. Paradoxalement la stérilisation est une technique populaire également aux États-Unis où en 1974, 1 335 000 personnes se sont fait stériliser.

Ces refus, ces rejets ne pouvaient manquer de se répercuter sur la poursuite favorable des programmes de planning familial dont les KAP exprimaient la légitimité et l'urgence et auxquels les nouvelles techniques contraceptives devaient apporter les moyens d'action. Si la diffusion de la pratique de la planification familiale au cours des dix dernières années est attestée, si également on décèle une inclinaison à la baisse du taux de natalité dans certains pays, il n'en est pas moins exact qu'il est impossible de démontrer une relation de cause à effet entre ces deux mouvements. Le parallélisme entre planning et taux de natalité est un nœud de discorde entre experts et la controverse à leur sujet n'est pas près de s'apaiser : elle durera jusqu'à ce qu'une démonstration statistique dans un sens ou dans l'autre apporte une preuve impossible à présenter aujourd'hui.

Au-delà de ce débat et de ces incertitudes l'échec est patent dans un cas précis : celui de l'Inde, la seconde masse humaine du globe, le premier pays à avoir adopté une politique de planification familiale. C'était aussi en Inde que les démographes occidentaux, et principalement anglo-saxons, mettaient tous leurs espoirs; c'est là que furent injectées en quelques années le maximum de ressources en savoir et en argent pour permettre la réalisation d'objectifs peut-être insuffisants eu égard à l'énormité du problème mais significatifs. Il y a près de 21 millions de naissances par an en Inde (ce qui, avec la mortalité actuelle, conduit à une croissance annuelle de 14 millions de personnes). Le but poursuivi il y a dix ans était de réduire le nombre de naissances de 9 millions par an, d'atteindre en 1975 un taux de naissances de 27 ‰, de réduire l'accroissement annuel de 14 à 5 millions d'habitants environ. Aucun de ces objectifs n'est atteint ou même près de l'être. Les naissances évitées annuellement dépassent juste 5 millions. Le taux de natalité en 1973 était encore de 38 à 40 ‰, l'accroissement annuel de près de 13 millions d'êtres [1]. Les réticences, les résistances à la contraception se sont renforcées d'année en année, le stérilet, on vient de le voir, en est la meilleure preuve : 1965, la première année de diffusion, 850 000 stérilets ont été posés; 909 000 la seconde année; mais 500 000 seulement en 1972 et 360 000 en 1973. La stérilisation qui est devenue la pierre angulaire du plan indien est en train de s'effondrer. Si 11 millions de personnes [2] ont été stérilisées depuis le début de ces opérations, la motivation adverse est de plus en plus forte : 3 millions de stérilisations en 1972 mais 900 000 en 1973.

Aujourd'hui la faible réussite de la limitation des naissances est manifeste malgré plus de dix ans d'efforts, la participation et l'appui des pouvoirs publics à tous les échelons, une mise en condition de l'opinion nationale et internationale exceptionnelle : 13 % des 100 millions de couples aux âges reproductifs pratiquent la contraception et l'impact sur la natalité est de l'ordre de 4 à 5 points. Ces

1. Au recensement de 1971 : 547 950 000 habitants; estimation de la population en 1975 par la Banque mondiale : 600 millions au moins, soit une croissance annuelle de 13 millions : 242 millions d'enfants de moins de quatorze ans, 57 000 naissances par jour.

2. Chiffre sans doute impressionnant mais qui représente moins de 2 % de la population.

deux derniers indices publiés par des statisticiens indiens représentent à coup sûr, le dernier surtout, une évaluation maximale.

Bien que l'exemple de l'insuccès indien soit le plus éloquent, il n'est pas le seul et partout, en Asie notamment, au Pakistan et au Bengladesh, l'action directe sur la limitation des naissances n'a pas été mieux acceptée. Pourtant, à l'intérieur même du continent asiatique, la nation la plus peuplée du monde, celle qui fut pendant longtemps la plus déshéritée, la Chine, paraît avoir réussi là où ses voisins échouaient. Contrairement à une opinion répandue, la Chine populaire est consciente des problèmes de population et, après une période d'optimisme inconditionnellement marxiste, a intégré les sujétions démographiques dans son plan d'action général pour l'amélioration du niveau de vie individuel et le développement global de l'économie. Deux ans après le premier recensement national, celui de 1953-1954, le gouvernement chinois commençait à promouvoir la limitation des naissances. Divers revirements se succédaient : interruption du programme à la mi-1958 — correspondant au Grand Bond —, reprise de 1962 à 1966 où l'objectif de la famille réduite est proposé, des contraceptifs mis à la disposition de tous, le mariage tardif socialement imposé. La Révolution culturelle marque une nouvelle éclipse de 1966 à 1969. Depuis cette date, 1971 surtout, le programme d'action familiale est devenu une priorité dans la vie politique. La position théorique est désormais claire : si la population par elle-même ne peut être mise en balance avec le développement économique, un taux de croissance démographique accéléré peut compromettre et le bien-être de l'une et la progression normale de l'autre.

En ce sens, la marche de la population doit être contrôlée. La population, comme les ressources qui lui correspondent, sont des variables qui doivent être dominées et coordonnées. Le contrôle de la fécondité n'est pas un objectif en soi : droit fondamental de l'individu et du couple, il est un élément essentiel du développement général et ne peut être subordonné à des diktats économiques et encore moins imposé.

Aussi l'action démographique s'appuie-t-elle sur un double mouvement : *a*) d'abord une libération quasi totale de la contraception et de l'avortement avec une diffusion très large et gratuite; *b*) de pressantes recommandations pour un idéal familial de 2 à 3 enfants; un modèle nuptial : vingt-cinq ans pour les filles, vingt-huit ans pour les garçons; un modèle social : l'égalité entre les sexes et l'intégration de la femme dans les activités économiques des groupes à toutes les échelles. La pratique « colle » à ces modèles qui bénéficient d'une adhésion populaire. L'approche est très directe et telle que dans beaucoup de villes chaque rue a sa planification familiale de même que chaque commune rurale. Chaque groupe décide du nombre d'enfants qui seront mis au monde à la suite d'une décision collective prise par accord entre toutes les femmes. Les familles comptant 2 enfants et qui désirent en avoir un troisième devraient ainsi donner priorité aux jeunes couples. Malgré l'absence de statistiques officielles, toutes les données concordent : la famille chinoise a connu un bouleversement majeur et la baisse de la natalité a été considérable. Les cinq/six dernières années furent des années cruciales et marquent sans ambiguïté le tournant pris. Les chiffres que l'on va citer sont les moins sujets à caution et proviennent de sources démographiquement autorisées. Il en existe beaucoup d'autres dont il ne sera pas tenu compte faute de crédibilité.

La chute de natalité chinoise est dans certains cas très importante : en 1957 Pékin avait un taux de naissances de 42 ‰ et Changhaï de 45 ‰. En 1971 ces taux sont respectivement de 18 ‰ et de 12 ‰! Dans l'ensemble de la Chine le taux de natalité était officiellement de 37 ‰ en 1952. Un document officieux donne pour l'ensemble du territoire un taux de 26 ‰ en 1970. Ce taux serait vraisemblablement de 23 à 24 ‰ aujourd'hui (taux de naissances aux États-Unis en 1959 : 24,3 ‰). Le taux d'accroissement annuel de 2,3 % de 1953 à 1958 serait passé à 1,5 % de 1958 à 1964. Il est probable que ce taux a encore baissé et la période de doublement qui était de vingt-huit ans serait aujourd'hui de soixante-dix ans. Si ce mouvement continue, les 800 millions de Chinois de 1975 ne dépasseront pas — si l'on ose dire — 1 milliard en l'an 2000.

Ainsi, selon toute probabilité, la Chine a réussi là où l'Inde a échoué. Elle a réussi comme ces six autres pays asiatiques où la fécondité a baissé indiscutablement pour des raisons analogues et malgré d'énormes différences. A l'origine, une action très efficace sur la mortalité et particulièrement la mortalité infantile, ensuite l'adoption du mariage tardif (instrument essentiel de limitation de la taille des familles comme nous l'apprend l'histoire démographique européenne). Au-delà, une révolution sans précédent également opérée dans les structures socio-économiques traditionnelles, l'élévation générale du niveau de vie, dans le cas chinois une redistribution égalitaire des bénéfices du développement, une incroyable cohésion du corps social face aux mots d'ordre proposés sont venus conforter l'aspect plus proprement démographique du planning familial. Plus loin encore les nouvelles données démographiques témoignent sans aucun doute d'un changement capital dans les mentalités, d'un accord profond de chacun et de tous aux objectifs proposés, d'une rupture complète avec la sujétion traditionnelle de la femme et de son insertion dans la nouvelle société. Ainsi se créent sous tous les aspects les conditions favorables à un programme intégré de planification familiale et se dévoilent les diverses facettes de la défaillance du projet de l'Inde.

L'impasse du raccourci démographique

Voici que, paradoxalement au premier abord, ce bilan destiné à confronter les espoirs d'hier aux réalités d'aujourd'hui, qui semblait devoir s'achever par une conclusion presque totalement négative, conduit finalement à des constatations imprévues et ouvre de nouvelles voies à la réflexion.

Le sens démographique de cette dernière décennie, des déceptions qu'elle a entraînées, de la double expérience qu'elle a vu se dérouler dans le creuset de population du monde actuel qu'est l'Asie, est désormais à peu près clair.

A l'opposé du jugement fondé sur les anticipations de 1960, la redoutable arithmétique développe et développera tous ses effets, la population mondiale connaît et connaîtra une expansion sans précédent et sans rémission. D'ici un siècle, en 2075, la population de l'Europe aura augmenté d'un quart, celle des États-Unis et de l'URSS de moitié, celle de l'Asie du Sud-Est des trois quarts, celles d'Amérique et d'Asie du Sud de quatre fois, celle de l'Afrique enfin de plus de cinq fois. A ce terme la fécondité devrait être près du niveau de remplacement dans le monde entier, la transition démographique presque partout bouclée, la croissance démographique très réduite, le degré zéro ne devant pourtant être atteint que quelques décennies après et la stabilisation autour de 12 milliards d'hommes atteinte vers 2125.

La leçon à tirer de ce retour en arrière est non moins évidente. Malgré les vœux désintéressés de bien des experts démographes, malgré l'appui souvent intéressé cette fois de certains stratèges politiques, la voie du raccourci démographique n'est qu'un cul-de-sac. L'action sur le plan contraceptif, par le seul biais des moyens purement démographiques ne peut suffire à elle seule à conduire à la limitation des naissances. Les prémisses si favorables, salués avec tant d'enthousiasme en 1955-1960, n'ont pas donné la récolte attendue et l'ensemble des mesures qu'elles avaient déterminées se sont trouvées en définitive hors de propos avec le résultat qui en était attendu : un dernier chiffre à ce sujet mais combien révélateur — en dépit des efforts déployés désormais dans quatre-vingts pays, 5 à 10 % seulement du milliard de couples intéressés utilisent des contraceptifs! La percée chinoise a révélé *a contrario* l'inanité d'un programme uniquement confiné à l'aspect démographique du planning et concentré seulement sur la seule diffusion de la contraception. Pour être efficace, valable, une telle politique se doit d'être intégrée dans un ensemble d'intervention plus vaste qui embrasse tous les aspects de la vie sociale. Elle ne peut notamment être dissociée d'une transformation économique et sociale qui pour n'être pas à elle seule suffisante sur le plan démographique se révèle pourtant toujours nécessaire. Les voies et moyens de la modernisation et du développement ne passent peut-être pas obligatoirement par le goulot d'une rupture aussi radicale que celle qu'a connue la Chine populaire. Il est peu probable cependant dans les conditions actuelles du tiers monde qu'ils n'empruntent pas, par rapport à l'état traditionnel de la société et de l'économie, perpétué en symbiose avec le capitalisme industriel étranger, une ligne qui ne pourra être que révolutionnaire dans son principe, ses méthodes et la priorité qu'elle accordera à la rigueur et à l'urgence.

La conférence de Bucarest

Ces conclusions n'allaient pas tarder à paraître en pleine lumière, leur enseignement à être diffusé, la confusion à être dissipée. L'occasion de cette grande remise en question étant la troisième Conférence mondiale de la population tenue à Bucarest du 19 au 30 août 1974, conférence organisée par l'ONU dans le cadre de l'Année mondiale de la population. A la différence des Congrès mondiaux précédents, de Rome en 1954 et de Belgrade en 1964, qui rassemblaient uniquement des techniciens convoqués *intuitu personae*, ce troisième Congrès était essentiellement politique car formé par les représentants de 135 nations. Les experts ont cédé le pas devant les politiques et la différence s'est fait rapidement sentir. Le but principal de cette troisième conférence était de prendre des résolutions concernant l'évolution démographique et d'édicter à cet effet un « Plan mondial d'action de la population ». Cette conférence plénière avait été précédée par de très importants travaux préliminaires : colloques spécialisés, multiples conférences régionales et surtout d'innombrables contacts diplomatiques dans le monde entier.

Pour la première fois allaient se réunir les gouvernants de tous les pays décidés à prendre d'éventuelles mesures pour intervenir effectivement sur une question fondamentale mais demeurée jusqu'alors théorique : le nombre des hommes sur la planète. Événement unique, comme l'affirmait Kurt Waldheim, il concrétisait la volonté de tous les dirigeants du globe à s'assembler pour s'interroger sur l'avenir de l'espèce. Plus terre à terre, la raison sous-jacente de cette première mondiale était l'angoisse que soulève depuis vingt-cinq ans la multiplication des hommes, surtout dans les pays pauvres et la menace de famine généralisée que laissaient entrevoir les difficultés alimentaires de ces dernières années. Aussi ce Congrès a-t-il été appuyé par les nations qui ressentaient le péril le plus vivement : non pas les pays pauvres mais au contraire les plus riches et surtout le plus riche de tous, les États-Unis qui avaient orienté très soigneusement la préparation de ce rassemblement.

Les mêmes États avaient élaboré les grands traits du projet du Plan mondial d'action qui édictait des niveaux numériques de population et du planning familial, une régulation contraignante des naissances comme moyen de les atteindre.

L'objectif visé et proposé était que chaque nation englobe dans son propre plan des variables démographiques telles que, dans le monde entier, autour de l'an 2000, le taux de fécondité soit au niveau du taux de remplacement. Si ce but était atteint, la population mondiale à cette date compterait 500 millions d'hommes en moins et en 2050 atteindrait 8 milliards 500 millions d'hommes au lieu des 11 milliards prévus aujourd'hui. Un étape intermédiaire était fixée et, dès 1985, le taux de croissance mondial devait être ramené du 2 % actuel à 1,7 %. Un effort particulier devait être fait dans les régions les plus exubérantes démographiquement où une baisse du taux des naissances d'au moins 10 % devait être réalisée à la même date. L'approche matérielle et psychologique avait été si efficace qu'au premier jour de l'ouverture, le secrétaire général de la Conférence était convaincu que réunions et débats seraient de pure forme. Il allait être immédiatement détrompé. En quelques heures 340 amendements (dont plus de 70 présentés par l'Argentine) étaient déposés qui transformaient complètement la nature et la finalité du futur « Plan d'action ». Les amendements donnèrent lieu à quinze jours de débats où la démographie et la population allaient se perdre dans les sables d'une certaine démesure verbale. On n'aboutit cependant pas à autre chose qu'au résultat habituel de ces sortes de réunions : un compromis honorable ménageant la chèvre et le chou, le cynisme et l'utopie pouvant chacun y trouver leur compte. Pourtant les adversaires du projet américain avaient réussi à vider le plan initial de son contenu et à imposer leur point de vue.

L'opération était au premier chef politique et se situait sous cet angle dans un contexte complexe mais précis. D'une part, il était impossible de dissimuler le côté explosif, politiquement parlant, que persiste à prendre pour beaucoup de gouvernements le problème traditionnel que pose l'équation : nombre d'habitants-puissance du pays. Le Brésil par exemple, ce continent presque vide, est obsédé par la puissance et la richesse des États-Unis et ne veut pas entendre parler de limites imposées à l'accroissement de la population. L'Argentine à son tour est non moins vide et non moins obsédée par l'expansion de son voisin et, pour y faire contrepoids, désire accéder le plus rapidement possible à une population d'au moins 50 millions d'habitants. L'Afrique francophone avec des densités de population très basses est populationiste, estimant que tout frein à la natalité est un frein à la mise en valeur de son espace et de ses vastes ressources potentielles. D'autre part la Conférence de Bucarest a été le maillon d'une chaîne d'actions politiques au cours desquelles les pays non engagés ont clairement démontré leur force numérique à l'ONU pour faire pièce aux États-Unis et aux Occidentaux qui ont si longtemps dominé les instances internationales et pour tenter de faire surgir un ordre économique international nouveau. La balance de la puissance mondiale incline désormais vers les pays ex-déshérités tant par le biais de la puissance démographique que par celui de la puissance pétrolière et la lutte actuelle a pour but de reconnaître et d'institutionnaliser ce rétablissement. A la puissance du double impérialisme de la richesse et de la force font face, pour s'y opposer, les pôles de résistance, les amorces de supériorité, dont disposent les opprimés d'aujourd'hui.

Cette réaction a pris pour se manifester le cadre du calendrier des manifestations de l'ONU en 1974 et en 1975. Après l'assemblée générale qui s'était tenue au printemps 1974, après cette conférence de Bucarest en août 1974, la Conférence mondiale sur l'agriculture devait se réunir à Rome en novembre 1974 et la prochaine Assemblée générale de l'ONU devait se tenir en automne à New York présidée par M. Bouteflika, ministre algérien des Affaires étrangères. Ainsi, dans une conjoncture tout à fait exceptionnelle, l'ONU mettait-elle à son ordre du jour en une seule année les deux termes de l'équation population-ressources et cet examen allait être dans une large mesure orienté par l'un des membres le mieux aguerri idéologiquement et matériellement des non-engagés : l'Algérie. Aussi l'offensive froidement calculée a-t-elle été particulièrement bien conduite. A Bucarest, l'assaut contre la position américaine a peu à peu rallié autour de ce leader les représentants des non-engagés, même ceux qui étaient les moins convaincus mais plus anxieux encore de ne pas se séparer de leurs pays frères. La démographie y a perdu son support scientifique et a rejoint pour quelques jours ces thèmes politiques qui suscitent des réactions systématiques au détriment du jugement et de la pondération. On a ainsi assisté au ralliement d'un certain nombre de nations qui au départ étaient conscientes de la nécessité absolue de modérer leur croissance démographique mais qui ne désiraient pas pour autant et pour cette seule raison se séparer du front de plus en plus uni des pays pauvres : tels furent le cas du Mexique, de l'Indonésie, de la Tunisie et surtout de l'Inde.

Les multiples discussions qui entourèrent la rédaction et l'acceptation du projet final ont démontré le poids de plus en plus sensible du tiers monde, son dynamisme et sa capacité à s'unir et à s'organiser. Elles révélèrent également l'existence de trois principaux courants de pensée sur le problème fondamental du contrôle de la natalité. La cohésion de ces groupes est davantage la résultante des réactions négatives qu'une adhésion à des facteurs positifs. Ainsi du premier groupe qui réunit un grand nombre de pays latino-américains et le Vatican, et refuse au nom des principes religieux et du droit à la vie la limitation des naissances. Le second groupe rejoint le premier sous cet angle. Dirigé par l'Algérie, appuyé par la Chine et les pays socialistes, il rassemble soixante-dix-sept nations qui ont refusé de reconnaître au planning familial, à la limitation des naissances et à la contraception le premier rôle dans la lutte qu'ils entreprennent pour l'amélioration de leur sort. La thèse inverse était soutenue par le troisième groupe dirigé par les États-Unis et la Suède et qui regroupait, outre les pays anglo-saxons, une grande partie des pays nordiques et occidentaux. La Conférence a été marquée par des affrontements verbaux très vifs comme par exemple ceux qui suivirent l'intervention du délégué chinois qui au cours d'un exposé tous azimuts a attaqué l'URSS, les États-Unis, l'exploitation, l'oppression et le pillage des contrées pauvres par les grandes puissances et dénoncé l'hypocrisie du maniement par les riches de l'épouvantail démographique. L'offensive contre la thèse américaine a reçu l'appui d'un recours tout à fait inattendu : celui de M. John Rockefeller, frère du nouveau vice-président des États-Unis et pionnier-missionnaire depuis 1934 du planning familial. Au cours d'une confrontation à la Tribune de Budapest, conférence parallèle à la conférence officielle, il brûla publiquement ce qu'il avait si longtemps adoré en reconnaissant l'inanité de ses dix ans d'apostolat en faveur du planning familial qui n'avait pu ni prévenir ni arrêter l'explosion de la population mondiale et en suggérant de privilégier l'action économique et sociale plutôt que l'action en faveur du contrôle des naissances.

Ainsi le point focal de la Conférence s'est-il déplacé durant ces quinze jours, de la dénonciation originelle de la fécondité des pauvres à la dénonciation finale de la rapacité des riches. Le délégué d'Argentine avait d'emblée centré ses réflexions sur ce thème : on ne peut attendre des pays pauvres qu'ils réduisent la croissance de leur population pour permettre aux nations riches de conserver un niveau de vie élevé. C'était clairement résumer le fond du débat. A la hantise de voir s'établir un équilibre démographique mondial s'est substituée la question de savoir si les pays riches continueront à garder leurs privilèges, exploiter les biens de la planète comme si les deux tiers de ses habitants en étaient toujours exclus, maintenir à toute force surconsommation et gaspillage en souhaitant que la limitation des naissances retarde ou empêche l'inéluctable repartage du gâteau et l'institution d'un ordre économique plus juste.

Aussi bien dans un premier stade c'est contre le raccourci démographique, la théorie du « tout » démographique, contre la réduction des naissances comme mode unique de la résolution de la pauvreté et de la misère que se sont élevés la majorité des délégués. L'expérience des dix années précédentes, la certitude de l'échec, de la systématisation démographique, prouvé par des exemples probants, étaient ici le point de fait décisif contre lequel aucune position théorique ne pouvait tenir. En un second stade, le renversement a été complet et une primauté a été accordée au développement économique et social. Le contrôle de la fécondité, sa prise en charge individuelle et sociale ne pouvaient être que la conclusion — toute l'histoire démographique appuie cette thèse — la conséquence et non la cause de l'amélioration du niveau de vie. On reconnaît ici au passage les termes du débat qui opposait Malthus à Marx et dont le déroulement est probablement sans fin. Cependant et quelle que soit la confusion qui ait régné à la Conférence ou dans les comptes rendus qu'elle a inspirés, on doit souligner que la légitimité des mesures individuelles ou générales de planning familial n'a jamais été mise en cause, sauf par le Saint-Siège qui pour cette raison précise a refusé de s'associer au Plan mondial de population dernière version. La Chine, si elle estime que ce qui est en cause essentiellement n'est pas la croissance excessive de la population mais une répartition inique des richesses, n'a pas contesté pour autant l'évidente existence de problèmes spécifiques de population. « Nous ne disons pas, a affirmé le représentant chinois, qu'une politique démographique soit sans importance. La Chine pratique une politique de planification des naissances qui s'inscrit dans le plan général de développement du pays. » C'était reconnaître publiquement quatorze ans au moins d'une sérieuse et efficace limitation des naissances. Ainsi, après avoir établi comme premier principe que les politiques démographiques ne sauraient tenir lieu des éléments de la politique de développement économique et social un second principe a été reconnu : « Chaque État est souverain dans le domaine démographique mais toutes les techniques de limitation des naissances doivent être mises à la disposition de l'individu et du couple

pour lesquels le planning familial est un droit fondamental. »
En fin de compte les objectifs chiffrés du plan initial étant pratiquement annihilés, les obligations réduites à l'état de vœux pieux ou disparues, le plan initial a été vidé de toute sa substance démographique.

Le débat, à la vérité, s'était complètement déplacé de la démographie à la politique. Au dialogue entre natalistes et anti-natalistes, partisans de la limitation de la fécondité et inconditionnels des droits à la vie s'était substitué un second mais plus essentiel discours : le combat entre pays pauvres et pays riches a reconstitué à l'échelle du monde la lutte des classes. Dans le même temps, et le phénomène est probablement irréversible, la démographie a atteint une dimension politique qu'elle n'avait pas auparavant.

La politisation de la démographie

Cette assimilation est normale : elle correspond à un approfondissement, un élargissement de la problématique démographique. Pendant des décennies la démographie a été le faux terrain neutre entre les positions étroites et figées définies par la guerre froide et sur lequel les experts allaient conquérir l'autonomie de leur discipline et fortifier leur *corpus*. D'autre part des politiques spécifiques dans le domaine de la population sont toutes récentes mais se sont étendues à un grand nombre de pays. La mise sur pied d'une telle politique ne met pas en cause que des facteurs spécifiques : elle implique une idéologie. Enfin le double développement de la science économique comme de la science démographique, ainsi que les expériences accumulées amenaient à remettre en question les réponses moins subtiles données il y a dix ou quinze ans au problème de la croissance de population et à ne plus charger cette seule variable de tous les péchés du monde. Les analyses qui conduisaient à une condamnation unilatérale et sans nuance sont contestées. La conférence de Bucarest en est la manifestation éclatante. A la base, on estime désormais que ce n'est pas la croissance de population qui est à la source du sous-développement mais l'organisation générale de la société, la mauvaise distribution des ressources, l'injustice sociale. Autrement dit la croissance démographique ne semble pas être le premier obstacle au développement économique et n'être à cet égard qu'une donnée marginale, une sorte de sous-produit. En bref la question essentielle, celle qui paraît être au cœur du problème de la population : quelle est la signification exacte de la croissance pour l'espèce et l'être humain? est-elle aujourd'hui reconsidérée et beaucoup plus discutée qu'il y a dix ans seulement?

Tous ces courants convergent inévitablement vers une prise de conscience de plus en plus grande des questions démographiques et leur entrée dans le monde de la décision politique. La conséquence en est tout d'abord une diffusion et une multiplication de l'information, essentielle, et un principe préliminaire à tous débats. Puis, autour de la démographie, se créent des tensions qui s'imbriquent et épaulent les autres grands problèmes de notre temps : des ressources naturelles aux soins médicaux. Scientifiques et experts peuvent exprimer une certaine réserve devant cette intrusion de la politique : leur isolement antérieur n'était souvent que la mesure de leur impuissance et le signe de l'ignorance par la communauté de leurs découvertes et de leurs travaux.

Plus fondamentalement encore la politisation de la démographie démontre combien est devenue erronée en quelques années la notion d'autonomie de cette discipline. Nous avons déjà vu qu'une réponse uniquement démographique au problème de la population s'est révélée inefficace. A cet égard, toute définition d'objectifs de population, de seuil, de palier, etc., n'est pas scientifique, elle dépend en fait des options politiques fondamentales de toute société : les débats sur la densité et l'optimum de population en sont une preuve éloquente. Pour chaque groupe social, chaque époque définit arbitrairement les relations qu'elle établit entre population et économie, entre croissance démographique et développement économique. Cette relation est d'abord et avant tout politique et n'a pas de fondement scientifique. La conférence de Bucarest a été le provisoire aboutissement de la nouvelle dimension acquise par la démographie. Dans la démarche logique de la politisation progressive des problèmes de la population il était inévitable que ceux-ci s'inscrivent dans le cadre de l'affrontement entre riches et pauvres.

8

L'envers de la richesse

Durant quinze ans et parallèlement à l'angoisse que soulevait la multiplication des pauvres, une autre angoisse allait se manifester. Cette interrogation est le regard que les pays développés allaient jeter sur leur croissance et leur propre exubérance, la prise de conscience de la situation privilégiée où ils étaient placés. Le second pas a été l'appréciation théorique puis, très brusquement, par le biais de la crise du pétrole, la constatation pratique de la fragilité de cette position. Rapidement les pays non alignés riches de ressources humaines et naturelles ont tiré la leçon de ces dernières années. Après avoir conquis leur indépendance politique, refusé le leurre démographique, ils ont placé en priorité de leur action la constitution d'un ordre économique nouveau qui se substituerait à l'ordre ancien défaillant. L'urgence et la nécessité d'un tel examen est à la mesure de l'appétit et du dénuement des peuples pauvres mais aussi de la crise qui frappe depuis trois ans l'ensemble des économies occidentales et incommode, pour le moins, le camp retranché socialiste.

L'environnement menacé

Dès 1960 la définition du problème de la population s'élargissait : au lieu de se cantonner comme jusqu'alors au terrain purement économique, on jugeait son impact sur un domaine plus large, celui de l'environnement. La croissance démographique n'était plus alors et uniquement l'obstacle majeur au développement des pays pauvres mais aussi un multiplicateur sur la ponction des ressources naturelles et sur la charge supportée par l'environnement. C'était le résultat de constatations successives et rapides effectuées d'abord aux États-Unis puis amplifiées et répandues en Occident et dans le monde entier. La première sonnette d'alarme a été tirée au sujet de la diffusion de la pollution. Jusqu'à l'ère industrielle, l'homme vivait en symbiose avec la terre en circuit fermé. La ponction sur les richesses minérales était pratiquement nulle et fumier et compost restituaient à la terre nourricière les prélèvements antérieurs. Tant que ce support essentiel était régulièrement reconstitué, il n'y avait aucun risque d'épuisement. Aujourd'hui la puissance de l'homme est telle, les prélèvements de tous ordres si importants que nous détruisons sans remède. C'est ce qu'expriment en un premier aspect les dommages infligés par l'homme à son milieu. Le second aspect de cette dégradation est la ponction exponentielle exercée sur le stock des ressources minérales naturelles non renouvelables et le risque de les voir épuisées en quelques générations. Toutes ces inquiétudes se regroupent sous le drapeau de l'écologie, science récente mais sagesse éternelle de notre espèce jusqu'à ces jours.

A la prise de conscience que notre monde était un globe fini et notre seul capital, s'ajoute la crainte d'une saturation de la planète par l'afflux de nouvelles parties prenantes qui renforcent encore la dissipation sans retour de notre fonds. Toutes ces craintes et ces refus ont été rassemblés dans quelques ouvrages célèbres. Outre le nom de Sicco Mansholt, on se doit d'évoquer le Club de Rome et les deux tentatives de prospective parues sous son égide. La première inscrivait la fin du monde à la fin de l'ouvrage, la seconde, beaucoup plus précise, perd en catastrophisme ce qu'elle gagne en nuances.

A l'origine l'élévation du niveau de vie correspondait, collait au développement de la production. Pour cette raison la croissance a été le premier devoir de toutes les nations et le succès économique a été pendant longtemps à l'exacte mesure des indices de production. Puis le lien entre croissance et bien-être est devenu de plus en plus lâche et à la limite la proposition de base de moins en moins évidente. Des quantités considérables de biens et de services sont à notre disposition tandis que certains biens fondamentaux dont la satisfaction ne peut être intégrée au cadre de l'économie de profit demeurent insatisfaits. La qualité de la vie n'entretient plus qu'un rapport lointain avec la masse des produits qui sont mis à notre disposition.

Le malaise qui grandissait vis-à-vis du capital qui nous était confié et que nous avons à charge de transmettre aux générations futures comme l'ont fait ceux qui nous précédèrent s'est brutalement transformé. Depuis 1972, en trois ans, l'Occident, le monde entier ont été confrontés à la crise de l'énergie, à une hausse spectaculaire des produits alimentaires et des matières premières. C'était le rappel sec et très concret cette fois de la limitation inéluctable des ressources minérales, de la pénurie possible, de la vérité éternelle mais depuis trente ans négligée de la dure loi de la rareté. Après un quart de siècle de facilité, les indices des prix des matières premières ont commencé à grimper et bien avant le quadruplement du prix du pétrole et le triplement du prix des phosphates par le Maroc en 1973. Le tableau suivant témoigne de la rapidité et de l'ampleur des hausses qu'ont dû subir les pays importateurs :

Fin de mois 1974	Produits alimentaires	Métaux	Matières premières d'origine agricole	Ensemble
Janvier	373,9	442,1	217,3	350,7
Avril	402,9	585,3	179,6	393,7
Juillet	468,2	398,8	157,5	364,9
Octobre	648,7	315,3	125,0	414,0
Novembre	680,1	299,4	121,0	422,6
Décembre	614,9	274,9	120,4	386,2

Base 1961 : 100.
SOURCE : Crédit lyonnais, *Bulletin*, mars 1975.

Outre la répercussion sur les prix, le choc psychologique était peut-être encore plus important et le pétrole est à cet égard un modèle exemplaire. Jamais encore un groupe de détenteurs d'une denrée vitale ne s'était uni pour présenter un front commun face aux consommateurs. Cette entente imposait une poussée de prix très rapide mais le fait essentiel est ici l'embargo et le pouvoir qu'il révélait. Qu'en serait-il si les détenteurs pauvres de produits essentiels refusaient désormais de les livrer aux pays riches qui en sont dépourvus, ou ne les livraient qu'à des conditions jugées par ces derniers exorbitantes?

Sur le plan démographique la répercussion de cette double panique suivit la constatation que le monde était borné, fini et irrémédiablement limité. Non contents de renchérir sur la nécessité de voir stopper la croissance démographique des autres nations, les Américains et, dans une moindre mesure, les Européens replacèrent avec logique le problème également dans leur camp, et se convertirent à l'arrêt ou au freinage de l'accroissement de leur propre population. Donnant la main à Malthus à travers près de deux siècles, c'était dans les pays anglo-saxons le mouvement du « Zero Population Growth » qui, s'il n'a pas de correspondant exact en France, y rencontre l'assentiment d'une bonne partie de l'opinion et le renfort discret d'une pratique restrictive généralisée en matière de démographie et près de deux fois séculaire elle aussi.

A travers des déséquilibres et des retours en arrière les anciens pays riches sont rejoints par les nouveaux pays riches qui jugent également de la fragilité des trésors qu'ils accumulent. C'est l'un des principaux motifs sur lesquels se fonde le fer de lance de la communauté des pays non engagés pour demander, outre une refonte complète du système monétaire, un nouvel ordre des relations économiques internationales. La faiblesse soudaine et relative des pays riches n'est pas ici seule en cause. Ce facteur ne peut être négligé, mais au-delà ce sont les impasses actuelles et la crise majeure que nous traversons qui est en cause. D'une nature différente de la crise de 1929 la récession marque moins, semble-t-il, un stade, un palier d'une évolution que l'aboutissement d'un certain type d'organisation globale. La démographie apporte à cet égard une démonstration très éclairante mais dont l'information n'a pas tenu compte. C'est également l'un des phénomènes les plus déroutants, aux yeux du démographe de ce bilan décennal.

La mortalité ne recule plus

C'est depuis 1961 qu'est apparu le « Mane Thecel Phares » démographique. Sa persistance lui confère désormais un sens dépourvu de toute ambiguïté. Pour décrypter ce message il n'est pas besoin de la perspicacité ou du mystérieux savoir du prophète Daniel. Les lettres de feu inscrites sur les murs de la civilisation industrielle — qu'elle soit de type oriental ou occidental — sont l'arrêt de l'élévation de la durée de vie dans un grand nombre de pays.

C'était cependant la conquête essentielle, première : la manifestation la plus évidente de la victoire de la vie sur la mort qui est le cœur même de la révolution démographique. Amorcée depuis le début du XIXe siècle, la domination sur la mortalité était encore davantage prononcée après 1900. L'accentuation et la mondialisation de ce mouvement depuis 1930, les progrès conjugués de la médecine et de la chirurgie, les opérations spectaculaires comme les greffes du cœur; l'incroyable avance de la thérapeutique chimique des trois dernières décennies, toutes ces conquêtes importantes et ininterrompues ont laissé croire que sous le double aspect de la protection et de la prolongation de la vie humaine, rien désormais n'était impossible.

Mais voici que depuis les années 50 on constate une évolution inquiétante et ceci jusque — et surtout — dans les nations les plus riches et les mieux dotées en matière d'hygiène et de santé publique. Si de 1930 à 1950 précisément on avait en moyenne constaté un gain de quatre années d'espérance de vie chaque décennie, de 1950 à 1960 l'avance est réduite des deux tiers ou de moitié et le gain n'est plus suivant les pays que d'un ou de deux ans. Il était sans doute normal qu'après l'accélération extraordinaire des progrès médicaux dus pour l'essentiel aux victoires sans appel et rapprochées sur les maladies infectieuses — dernier bastion de la mort « classique » — le gain des dernières années soit modeste. La mortalité exogène [1] ayant été presque éliminée, l'effet de l'accroissement de la proportion des personnes âgées dans la population se fait désormais sentir et a tendance à élever le taux brut de mortalité. Cette considération purement démographique — à effet presque insensible et à long terme — ne joue qu'un rôle insignifiant dans le phénomène signalé dont la brusque apparition est *a contrario* d'un mouvement évolutif de grande ampleur.

Il est frappant que les taux de mortalité soient restés quasi stables durant ces dernières années. Il est encore plus frappant de constater après le ralentissement des années 1950, l'arrêt depuis 1961 de la baisse de la mortalité masculine et même une hausse de la mortalité dans certains pays. C'est la première fois qu'en temps de paix et d'abondance, la mortalité non seulement ne recule pas mais encore regagne un peu du terrain conquis et dont il paraissait impossible,

1. Décès ayant leur origine dans le contact avec le monde extérieur.

sauf accidents temporaires, qu'il lui soit à jamais peu ou prou restitué.

De 1965 à 1970 l'espérance de vie a stagné ou même diminué dans un grand nombre de pays européens : Allemagne fédérale, Autriche, Roumanie, Tchécoslovaquie, etc. Aux États-Unis la durée d'espérance de vie est stable et ne progresse plus. C'est en URSS que le recul a été le plus marqué. Aussi à 20 ans le jeune Soviétique a-t-il une espérance de vie en régression depuis 1958 : 48,3 ans aujourd'hui contre 49,5 en 1966. Plus encore les dernières informations en provenance de l'Inde inclinent à penser que durant ces dernières années la mortalité demeure stable malgré la baisse substantielle à laquelle on pouvait théoriquement s'attendre.

Ce sont les hommes qui sont les plus frappés par ce retour de la mort et l'on constate, surtout ces dernières années, une surmortalité croissante. L'écart actuel entre les espérances de vie à la naissance des deux sexes est considérable : près de cinq ans en Suède, six ans en Angleterre et en Allemagne, plus de sept ans en France et aux États-Unis, plus de neuf ans, record mondial en URSS. La mortalité masculine est plus du double de la mortalité féminine entre quinze et soixante-neuf ans : elle est même deux fois et demie supérieure de vingt à vingt-quatre ans. Dans le tiers monde, à l'exception de certains pays d'Asie, il existe aussi une surmortalité masculine mais plus atténuée : l'écart d'espérance de vie suivant les sexes est de deux à cinq ans.

A quelle force obéit une régression aussi durable que générale? Un certain nombre d'explications ont été données qui tendent à rendre compte de l'aggravation de la mortalité et plus particulièrement de la surmortalité masculine. Selon la tranche d'âge considérée les causes de cette récente poussée sont très différentes.

Dans tous les pays industrialisés la remontée de la mortalité entre quinze/vingt-cinq ans est due à une augmentation rapide de la fréquence des décès par accident, et ceci est vrai dans les deux sexes. Dans cette fourchette d'âge, en Allemagne fédérale, les accidents de voiture représentent 50,2 ‰ de causes de décès ! Après la quasi-disparition des décès dus aux maladies infectieuses, les accidents représentent de plus en plus la cause dominante des morts à ces âges. Cette cause est désormais si importante que la disparition de toute mortalité par accident de voiture représenterait en Occident pour les hommes un gain d'espérance de vie supérieur de moitié à ce qu'amènerait l'élimination totale du cancer. Dans les tranches d'âge supérieures, quarante/cinquante-cinq ans, ce sont les maladies cardio-vasculaires qui entraînent par leur hausse récente et leur prédominance la mortalité générale. Aux âges moyens et au-delà de cinquante-cinq ans l'énorme impact des cardiopathies et des maladies de l'appareil circulatoire est lié à l'alimentation (obésité, cholestérol), à la boisson (alcoolisme) au tabagisme et d'une façon générale aux conditions d'existence, aux difficultés de vie liées aux contraintes économiques et sociales.

Au sens large, c'est le mode de vie qui est ici à incriminer : son évolution détermine étroitement aujourd'hui dans les pays riches celle de la santé et de la vie alors que les progrès social et médical ont éliminé les grandes maladies collectives. Bien avant le terme maximal d'existence déterminé par la constitution physique de l'homme — auquel renvoie le concept de mortalité biologique limite — on voit s'élever un niveau, un butoir social directement dépendant des conditions de vie dont la détérioration vient dorénavant stopper ou même annihiler en partie les progrès sanitaires. Ainsi, depuis quelques années et malgré les recherches incessantes de la science et de la médecine, l'espérance de vie a cessé d'augmenter et même dans certaines régions recule. Rien de surprenant à cela dans les pays pauvres très vulnérables et fragiles, à la merci de la faim et des épidémies. Mais c'est dans quatorze pays riches, parmi eux les États-Unis, l'URSS et la France que l'on meurt aujourd'hui un peu plus vite qu'il y a cinq ans. Bien que chaque pays, chaque tranche d'âge présente sa particularité, tous ces facteurs aussi différents convergent en faveur de la mort.

Ainsi s'exprime sur le plan de la démographie la crise dont nous vivons par ailleurs d'autres manifestations. Le système économique que nous avons édifié, les étonnantes prouesses réalisées depuis un siècle et demi semblent désormais se retourner contre nous. Un essor sans précédent dans l'histoire a pu marquer l'après-guerre dans les pays industrialisés et le niveau de vie gagné en trente ans au moins autant que dans le siècle précédent, davantage sans doute que dans tout le millénaire antérieur; voici que le miel se transforme en poison et que la puissance et la richesse si rapidement acquises donnent également naissance à une sanction biologique qui menace l'homme à la racine même de son être.

Telle était la dernière leçon, et non la moindre, des très riches enseignements que pouvaient apporter ces dix années où la science et la pratique démographique ont connu — on vient de le voir — de spectaculaires développements.

CONCLUSION

Vers la stabilité

Ainsi va le monde, et combien vite. Nous savons désormais comment évolue la population mondiale, quelles tendances profondes l'animent, comment se différencient les grandes zones démographiques de la planète, quels conflits de doctrines et de pratiques opposent ces divers groupes.

Un certain nombre de faits nouveaux depuis dix ans renforcent encore la modestie dont doit se doubler, pour les auteurs de prévisions, leur audace; la vérité d'hier risque fort d'être l'interrogation d'aujourd'hui, l'erreur de demain. Aussi ce n'est pas sans courage, mais aussi avec réserve que l'on tentera de dépasser le constat et le déjà figé pour évoquer les voies possibles de notre proche devenir démographique et d'augurer dès maintenant l'évolution à moyen terme de la population mondiale.

Deux grandes orientations dans cet avenir indistinct paraissent se dessiner et tendent d'une part vers l'égalité et d'autre part vers la stabilité : égalité économique et stabilité démographique, la première étant la condition *sine qua non* de la seconde. L'irréversible et toute récente politisation de la démographie conduit à unir des phénomènes jusqu'ici séparés ou pour lesquels du moins une grande autonomie de réflexion et d'action allait de soi. On retrouvera dans ce diptyque économie-démographie la très fameuse et très classique balance malthusienne : population-ressources. A la vérité, si Malthus a fait ressortir d'une façon saisissante cette opposition, s'il lui a donné une formulation non seulement frappante mais surtout adaptée aux conditions du milieu et de l'époque où il était placé, la course entre les deux variables, les voies et moyens de leur équilibre sont l'expression d'une contrainte éternelle pour toute espèce vivante. On retrouvera dans l'actualité la plus brûlante l'expression de ce débat sans fin et l'on appréciera que, par le biais d'une remise en question politique, une remise en ordre se fasse jour et débarrasse enfin ses termes essentiels des oripeaux idéologiques ou des camouflages humanitaires dont on l'avait trop longtemps affublée.

Côté ressource d'abord : une comparaison des pays capitalistes développés et des pays développés non socialistes est pleine d'enseignements. Si les premiers ont 17 % de la population mondiale mais totalisent 65 % du revenu mondial, les seconds représentent 47,8 % de la population mondiale mais 10,5 % du revenu mondial seulement. Avant tout, c'est contre la cruauté que révèle cette double opposition que s'organise la lutte et se définit un objectif : la mise sur pied d'un monde plus cohérent où les plus nombreux ne seront pas forcément les plus pauvres. Et dans quelles proportions! Le revenu moyen des riches est de dix-sept fois supérieur à celui des pauvres. Jamais dans le temps et dans l'espace l'inégalité n'a été aussi grande et bien que les nombres, les comptes exprimés en dollars ne donnent ici qu'une fausse apparence de précision en accusant probablement l'écart réel, c'est un monde dans l'espace et une ère dans le temps qui séparent le niveau de vie des pays développés du niveau de survie des pays pauvres. Davantage encore, le fossé, loin de se réduire tend à s'approfondir : en deux ans le seul accroissement du revenu des États-Unis est plus important que le revenu de toute l'Afrique.

Ces données témoignent de l'extrême inégalité du partage de la richesse sous l'angle monétaire. C'est que le tiers monde demeure essentiellement producteur de matières de base mais ne joue qu'un rôle insignifiant dans le domaine de la transformation qui est la source véritable de la richesse et la véritable clé du développement. Avec près de 50 % de la population mondiale, il n'intervient qu'à 36 % dans le secteur de l'agriculture, à 28 % dans celui des industries extractives, à 7 % seulement en ce qui concerne les produits manufacturés. A l'inverse, avec 17 % de la population mondiale, les pays développés de type occidental assurent 62 % de la production manufacturière mondiale, soit près de sept fois plus que le tiers monde !

Rappelons que l'alimentation d'un habitant des pays riches est, en moyenne, quantitativement supérieure de 50 % à celle de la moyenne également des pays pauvres. Alors que l'Américain dépense 13 % de son revenu pour se nourrir, l'Indien y consacre le plus clair de son revenu : de 60 à 90 %. Mais la différence entre les revenus absolus est telle que si l'Américain dépense effectivement pour ce poste 600 dollars, l'Indien ne peut dépenser que moins de 45 dollars. Les deux tiers de 600 dollars sont consacrés au transport, à la manutention, à l'emballage et à la commercialisation des aliments : les 200 dollars restant représentent la valeur *stricto sensu* des produits à la sortie de la ferme — paradoxalement une valeur quasi marginale du produit par rapport aux traitements accessoires. Ces 200 dollars sont encore cinq fois plus élevés que la valeur à la ferme du même volume en Inde. De cette fourchette de prix l'Américain tire 50 % de calories en plus, sept fois plus de graisse, trois fois plus de légumes, quatre fois plus de fruits et de sucre mais 40 % de céréales en moins.

Cependant la traduction en calories est insuffisante et dissimule la réalité du gouffre qui sépare les diètes riches/pauvres. Il faut en effet se souvenir que sept calories végétales sont nécessaires pour produire une calorie animale. Autrement dit la part importante des viande-œufs-lait dans le régime alimentaire américain (36 % contre 4 % en Inde) est fondée sur l'élevage d'animaux consommateurs de céréales secondaires, de protéines : soja (États-Unis premier producteur du monde). Face à la faim mondiale de protéines, ce sont les animaux des pays riches qui supplantent les hommes des pays pauvres. C'est ainsi que les riches accaparent les deux tiers de la récolte mondiale de soja pour nourrir leur bétail. Le soja est pourtant la source principale d'alimentation protéinique pour 1 milliard d'hommes. Un passage par la Chine est éloquent à cet égard. Alors que la production de céréales (blé, riz, maïs) est à peu de chose près comparable à la production céréalière des États-Unis, toute la production céréalière chinoise passe directement à la nourriture de 800 millions d'hommes — *a contrario* plus de 60 % de la production céréalière américaine est déviée et consacrée à l'élevage des 120 millions de têtes de bétail, plus une énorme population de porcs, moutons et volailles. A ce compte, l'écart n'est plus entre les 2 150 calories consommées quotidiennement en Inde et les 3 300 quotidiennes américaines (dont 600 environ vont à la poubelle). La traduction des calories animales en calories végétales permet d'opposer à ce qui demeure 2 150 calories, les 10 000 calories du régime américain de produits consommables directement par les hommes et qui ont été réduites par l'intermédiaire de la transformation animale en 3 350 calories « nobles ».

L'appropriation de biens de ce monde est déjà imposante à ce premier stade. Les pays riches utilisent pour leur seule alimentation 20 % des surfaces agricoles du globe en plus des leurs propres. La comparaison des consommations par tête dans tous les domaines permet de diagnostiquer non plus un écart mais un abîme. Avec toujours 17 % de la population mondiale, les pays industrialisés consomment 87 % des ressources énergétiques de la planète. Aussi, par rapport à un Occidental, un habitant du tiers monde consomme vingt-deux fois moins d'énergie, trente-cinq fois moins d'acier. Au sommet de la pyramide, les États-Unis occupent une situation tout à fait à part et sont détachés loin en tête du peloton des pays riches. Avec un revenu par tête d'un tiers plus élevé que celui d'un Allemand de l'Ouest, l'Américain, citoyen de la première puissance économique et industrielle du monde, profite d'une richesse et d'une prédominance écrasantes. Les États-Unis à eux seuls produisent 34 % de la puissance économique mondiale — avec 6 % de la population du globe, ils utilisent à leur profit 40 à 50 %

du produit mondial [1]! Jamais à l'échelle de la planète la domination d'un seul, la richesse d'un ensemble limité de pays n'ont fait ressortir aussi vivement les privilèges d'une minorité et l'exploitation de la majorité qui la fonde.

La lente prise de conscience par les victimes et les pillards de ce qu'a de peu supportable un tel état de choses; la constatation de l'accélération du processus de l'inégalité et de l'inutilité des divers remèdes proposés et expérimentés depuis trente ans — tous ces phénomènes ont conduit à un réexamen global du problème de ce qu'il faut bien appeler l'exploitation impérialiste et avec lui à reposer la question population/ressources. L'incidence sur la démographie de ces débats est essentielle et la conférence de Bucarest, on l'a vu, marque ici une date capitale.

Il a fallu de nombreuses années pour que soit définitivement établi que c'est la sur-consommation, le style de vie imposé par la société d'abondance si vite devenue celle du gaspillage, du superflu, le modèle occidental d'existence, qui sont à la source, la raison même du déséquilibre actuel de l'équation population/ressources. Les termes mêmes du dilemme sont retournés : le problème n'est pas celui de la population de l'Inde, de sa croissance démographique mais bien plutôt celui de l'énorme ponction exercée sur le monde entier par la population des États-Unis à travers la satisfaction de leurs immenses besoins. La solution au déséqui-

1. Tout se passe comme si les États-Unis jouissaient d'un droit régalien sur les biens de la terre et en usaient avec la même discrétion. La rapidité et le volume de cette ponction sont hors comparaison : durant les trente dernières années, les Américains ont consommé plus de métaux que l'humanité entière n'en avait utilisé jusque-là!

libre mondial ne passe pas par moins de bouches là que par moins de dépenses ici.

Aux deux grandes menaces écologiques que le surpeuplement fait peser sur le globe, le réchauffement de l'atmosphère et l'augmentation de proportion de gaz carbonique, ce n'est pas une mesure démographique qui apportera la solution. Ce ne sont pas en effet les hommes qui sont directement en cause mais la surconsommation d'énergie et de combustible des peuples riches : les moteurs et les machines consomment aujourd'hui dix-sept fois plus d'oxygène et rejettent dix-sept fois plus de gaz carbonique que la respiration de 4 milliards d'hommes. Aussi bien il n'existe pas de commune mesure entre les dangers écologiques que présente la croissance économique et ceux que présente la croissance démographique. C'est la première qui compromet le capital commun de l'espèce. Au rythme annuel de 5 % par an — soutenu sinon souvent dépassé en Occident et dans les pays socialistes depuis plus de trente ans — la production et la consommation augmentent de 1 à 132 en un siècle tandis que dans le même laps de temps la population quant à elle n'augmenterait au maximum que de 1 à 5. Le problème de la population ne se pose donc pas dans les termes et là où il est classiquement convenu de le poser. Aussi est-il possible d'affecter à chacun des membres d'un groupe économique une sorte de coefficient exprimant à travers la quote-part de l'arsenal industriel et de services dont il dispose son poids réel et la ponction qu'il opère en sa faveur sur le patrimoine commun. On a pu calculer ainsi que chaque citoyen américain — homme, femme ou enfant — commande à quelque 500 esclaves invisibles dont la force est emmagasinée dans toutes les machines, celles de la vie quotidienne comme celles de l'industrie.

Ces esclaves mécaniques prolifèrent : il y a trente ans, chaque Américain n'en possédait que 150 environ. L'efficacité de cette fourmilière hors statistique est devenue fantastique. Chaque année, chaque citadin américain remue, par esclaves interposés, 3,5 tonnes de sable et de gravier, il traite 250 kg de ciment, 100 kg d'argile et autant de sel. Il extrait plus de 30 tonnes de matières premières diverses pour son seul entretien. Ainsi la densité réelle de peuplement des campagnes ou des villes ne peut plus se mesurer à leur seule population humaine. On est beaucoup plus près de la vérité en estimant que les États-Unis sont aujourd'hui le pays le plus peuplé du monde : 3 millions de fermiers américains, armés d'une technologie avancée soumettent leur terre à bien plus rude épreuve que ne le font les 150 millions de familles rurales chinoises. Et que dire des villes : New York, ses 8 millions d'habitants et leurs 4 milliards d'esclaves...

Sous l'angle économique la rupture très brusque que présente l'année 1975 dans l'ensemble occidental et qui marque pour la première fois depuis la fin de la guerre un niveau zéro de croissance industrielle ou même une certaine régression, notamment aux États-Unis, ne peut faire oublier l'essentiel. Aux frustrations, aux incertitudes que recèle ce brutal à-coup s'oppose un fait historique exceptionnel : la génération des hommes de trente à soixante ans a bénéficié d'un extraordinaire accroissement de leur niveau de vie qui a doublé en moyenne par rapport à celui de leurs pères. Jamais à une telle échelle et dans un tel délai aucune des générations précédentes n'a profité d'un tel afflux de richesses. Bien que nous en soyons peu conscients nous avons vécu en trois décennies l'accélération de la vie matérielle la plus forte de tous les temps. Le rythme est impossible à soutenir et la progression elle-même se heurte dès maintenant et se heurtera bien davantage encore à des limites.

Il est vrai que si le ralentissement de la croissance est une nécessité inscrite dans la logique de la rareté, ceci concerne tout d'abord et aujourd'hui uniquement les pays riches qui, sans connaître l'impossible saturation, profitent d'une très large couverture de leurs besoins. Pour les pays pauvres, la croissance économique demeure une obligation impérieuse pour leur permettre l'intégration au monde moderne et la libération des sujétions de tous ordres qui accompagnent l'économie de subsistance et notamment les contraintes démographiques.

Pour autant il est improbable que le niveau de vie des peuples pauvres puisse atteindre dans un avenir raisonnable celui des pays riches et il paraît à jamais exclu que le monde entier puisse jouir un jour du niveau de vie actuel du citoyen américain. En dehors même de toute autre raison les ressources de notre planète ne sauraient y suffire. Pour que la consommation par tête de l'Inde rejoigne celle des États-Unis il faudrait que la production soit multipliée par des coefficients si considérables qu'ils en font apparaître immédiatement l'irréalisme : l'énergie devrait être multipliée 56 fois, l'acier 61 fois, l'aluminium 80 fois, etc. L'indispensable développement implique sans doute en premier lieu l'accomplissement du rééquilibrage et la marche vers l'égalisation précédemment décrits et aussi un retour des pays riches vers une certaine modération économique. Outre cela il paraît utopique en second lieu de croire que le niveau de vie occidental soit universellement adaptable et la contestation qu'on est en mesure d'en faire passe non seulement par sa réduction et sa transformation chez les riches mais aussi par le fait que les pauvres devront nécessairement mettre sur pied un mode de développement original et fondé sur d'autres valeurs que les nôtres.

Pas plus que le rythme de croissance économique présent, le rythme de croissance démographique ne pourra être soutenu bien longtemps et l'autre face du freinage général des essors en flèche de notre siècle est démographique. Avec le ralentissement, doit s'amorcer là aussi la compensation des dislocations, des tensions qu'ont entraînées l'inégalité et la rapidité des évolutions démographiques. Le taux actuel d'accroissement de la population mondiale — 2 ‰, un doublement tous les trente-cinq ans — est sans aucun précédent historique de longue période. Il est sans doute plusieurs centaines de fois supérieur au taux de croissance démographique infinitésimal qui a été la norme pendant la durée de l'espèce. Tout le déroulement de la révolution démographique est là pour prouver que la poussée de croissance qui singularise le XXe siècle ne peut être qu'un épisode, une phase transitoire de notre évolution. Les conséquences du maintien d'un tel taux sont claires. Avec un doublement tous les trente-cinq ans la population serait multipliée par 1 000 en trois cent cinquante ans et par 1 million en sept cents ans : l'impossibilité est évidente et immédiate.

La logique inhumaine des exponentielles rend perceptible cette évidence déjà pressentie : les taux de croissance actuels de la population mondiale constituent un moment, une particularité de notre histoire. Ils ne peuvent durer bien longtemps sans conduire à quelque catastrophe. Mais, contrairement à Malthus, on demeure aujourd'hui encore en droit de penser que la catastrophe elle-même n'a rien de fatal et que, par le biais de l'action sur la richesse, le niveau et le type de vie, le changement de régime démographique en marche permettra de réaliser l'ajustement population-ressources. L'évolution est en cours et son déroulement est fonction de la transformation économique qui l'accompagne et la conditionne. Le processus de la révolution démographique est en marche et son terme — la stabilité — est en vue. L'imprécision des hypothèses, des prévisions dans ce domaine est de règle et le terme de 2030 — où l'équilibre devrait être acquis — pourra être reculé de quelques dizaines d'années — si par contre il est hautement improbable qu'il puisse être avancé. Ceci ne change rien au fait qu'à plus ou moins longue échéance la croissance de la population mondiale va se tempérer et tendra à se stabiliser.

L'arithmétique la plus élémentaire fait de ce retour à un taux proche de zéro, taux traditionnel des 10 000 années antérieures, une obligation logique et ceci en un petit nombre de générations. Si le retour à la stabilité est une quasi-certitude, l'incertitude demeure par contre de savoir d'une part à quel niveau de population ce palier sera atteint. La marge est ici de plusieurs milliards d'hommes. D'autre part la seconde question est de savoir quel type de combinaison démographique entre fécondité et mortalité amènera à ce nouvel équilibre. Rappelons que pour arriver au même résultat, la stabilité, les possibilités s'étagent entre 8 enfants par femme et une espérance de vie de quinze ans, à une moyenne légèrement supérieure à 2 enfants par femme et une durée de vie dépassant soixante-quinze ans. Le retour au « régime de croisière » démographique, l'accomplissement universel de la révolution démographique se feront par le biais d'une formule beaucoup plus proche de la seconde combinaison que de la première. Elle entraînera avec elle la généralisation d'un phénomène aujourd'hui bien avancé en Occident qui démarre ailleurs et dont l'extension marquera le XXIe siècle : le vieillissement. En 2030 le nombre des sexagénaires sera en moyenne sept fois supérieur au chiffre actuel. En quatre-vingts ans la répartition par âge des peuples « jeunes » subira un bouleversement. De 1970 à 2050 la proportion des jeunes baissera de près de la moitié. En 2150, lorsque la stabilisation numérique de la population sera acquise, le nouveau régime démographique admis sans partage, le nombre des vieillards sera multiplié par 17. Sous l'angle démographique cette transformation marquera aussi fortement l'étape de la stabilisation que l'accroissement avait marqué la période précédente de la transition.

L'équilibre, l'état stationnaire n'est pas le fait démographique majeur prochain pour les seuls pays du tiers monde. C'est déjà un fait accompli pour tous les peuples qui ont parcouru le cycle complet de la révolution démographique. Pour eux l'avenir peut paraître moins clair et il est effectivement l'objet très actuel d'une vive controverse.

Faut-il conclure de ces dernières années que l'on assiste dans tout le monde occidental à une véritable révolution dans les attitudes à l'égard de la procréation et que l'on s'achemine vers des descendances finales de 1 à 1,5 enfant par femme, vers des taux nets de reproduction de 0,5 ‰, ce qui impliquerait à long terme la disparition de la moitié d'une population donnée en trente ans?

Un tel jugement basé sur une aussi courte période ne paraît ni plus ni moins valable que les jugements absolument contradictoires qui ont été émis en considération, en premier lieu, de l'évolution des années 1920-1930 où la seule issue possible était la dépopulation rapide et sans appel de l'Occident, en second lieu de l'évolution des années 1950-1960 où la perspective était celle d'un accroissement démographique de plus de 1 % par an, d'une expansion de population aussi irrésistible que la décadence précédente. Pour nous aider à voir plus clair, un phénomène démographique concomitant à cette baisse et qui se déroule à nos portes mérite d'autant plus d'être considéré qu'il n'en est jamais fait état. Ce phénomène paraît tout à fait caractéristique du mouvement pendulaire que l'on soulignait précédemment : le regain de fécondité enregistrée en URSS et dans un grand nombre de démocraties populaires de l'Est européen. Ce renversement de situation est significatif. Après avoir fait figure de lanterne rouge démographique en Europe pendant de longues années, alors que la natalité y connaissait des creux jamais enregistrés ni ailleurs, ni auparavant, après que l'on a pu prédire la décadence démographique de ces pays, on voit se produire depuis cinq ans une remontée de la pente et le pendule repartir vers une hausse de la natalité. Sans parler du cas spécial de la Roumanie, non seulement la chute du taux de natalité est stoppée dans les pays socialistes, URSS comprise, mais plus encore la reprise est évidente en URSS, vive en Pologne, très vive en Tchécoslovaquie, le redressement de la fécondité notable dans tous ces pays et ceci dès 1968-1969. A l'exception de la RDA les taux de natalité sont situés entre 17 et 19 ‰, un nombre moyen de naissances par femme entre 2,20 et 2,40, donc au-delà du renouvellement, au-delà des niveaux occidentaux, très au-delà du fond de la baisse enregistré en 1968, une remontée sensible et tout à fait inattendue.

Bien que l'interprétation de ce regain de fécondité soit difficile, bien qu'il soit délicat d'apprécier les répercussions exactes des mesures d'aide sociale intentionnellement pronatalistes en Bulgarie, Hongrie, Tchécoslovaquie et Roumanie promulguées après 1968, il semble bien que l'on soit en face d'une oscillation de longue ampleur, d'une nouvelle « période » du balancier dont l'aller et le retour successifs expriment la dynamique originale du nouveau régime démographique. Si l'expansion se dessine depuis cinq ans en Europe orientale, c'est que la contraction antérieure, la baisse du niveau de fécondité, avait été beaucoup plus forte en moyenne qu'en Europe occidentale. L'Est avait donc précédé l'Ouest dans la chronologie démographique et atteint avant lui ce fond de la dépression limite à partir de laquelle se dessinent la reprise de la natalité et le développement d'une vague positive. La succession depuis trente-cinq ans de systole et de diastole démographiques dans l'ensemble des pays ayant accompli leur révolution démographique, le décalage dans le temps qu'ont connu suivant les régions ce flux et ce reflux indiquent que nous nous trouvons ici devant la forme spécifique de la stabilité démographique nouveau style. Autour d'une ligne presque droite d'équilibre à long terme, des positions successives de croissance et de décroissance, liées aux variations du seul taux de natalité dessinent dans le temps des courbes positives et négatives dont les pointes, sur une longue durée, s'annulent.

Aussi est-il possible — et l'exemple de l'Europe orientale incite fortement à le croire — que les pays surindustrialisés soient près d'atteindre le creux de la vague et que dans un avenir peut-être proche un élan nouveau de la fécondité compense la chute précédente. Une récente indication américaine corrobore cette analyse. En juin 1974, une enquête du « Census Bureau » sur les intentions de fécondité montrait que 5 % seulement des jeunes femmes mariées âgées de dix-huit à vingt-quatre ans prévoyaient de ne pas avoir d'enfants, 13 % d'entre elles d'en avoir juste 1, 56 % par contre exprimaient l'intention d'avoir 2 enfants et 26 % en désiraient plus de 2. Le taux actuel de fécondité, moins de 1,8 enfant par femme, est donc très en dessous du nombre d'enfants que souhaite une grande majorité de femmes et ceci signifie en conséquence qu'un nombre important des naissances sont retardées par diverses raisons et auront lieu à un moment ou à un autre et probablement avant 1980.

Il est donc nécessaire, semble-t-il, de resituer à l'intérieur de la dynamique de l'après-transition telle ou telle variation quinquennale et il paraît prématuré et hors de mesure de conclure en termes catastrophiques et sans nuances à un dépeuplement et à un vide démographique de l'Europe devant une baisse de la fécondité succédant à vingt ans d'une reprise également imprévue alors qu'un certain nombre de signes se conjuguent laissant présager un retour de balancier.

Catastrophes ou politiques ?

Quelles conclusions raisonnables peut-on tirer de ces rapides et brutales incursions dans notre avenir?

D'abord une conclusion de méthode : les progressions soutenues durablement — celles qu'expriment les fonctions exponentielles — conduisent toujours à l'infini, à plus ou moins brève échéance.

Pour les ressources, comme pour les hommes, ce que nous vivons depuis quelques décennies est une péripétie momentanée de l'histoire humaine : pareils taux de croissance sont insoutenables; au sens propre du terme ils feraient, avant longtemps, chavirer notre planète.

Pour s'en tenir à la seule croissance démographique [1], l'impossibilité évidente de sa permanence incite à penser que nous nous trouvons engagés dans une période transitoire de l'aventure humaine. Et c'est, à vrai dire, une période tout à fait exceptionnelle à l'échelle historique.

La société humaine est lancée dans une évolution plus rapide que jamais, si rapide qu'elle ne peut dépasser une durée limitée. Cette phase où le taux de croissance démographique est particulièrement élevé et soutenu correspond à une transition entre deux âges démographico-économiques : l'âge ancien où la croissance démographique était faible ou quasi nulle parce que ni la fécondité ni la morbidité n'étaient maîtrisables et l'âge nouveau où la croissance démogra-

1. La remise en question de la croissance pour la croissance dans le domaine économique est non seulement à l'ordre du jour de la théorie mais, comme l'on sait, une réalité subie.

phique doit devenir très faible ou même nulle, parce que la morbidité et la fécondité sont désormais maîtrisables. Cette transition n'a rien d'imaginaire : elle est déjà terminée dans les grandes nations industrielles occidentales; elle s'achève au Japon comme en URSS et dans les démocraties populaires d'Europe; elle semble bien s'amorcer dans les pays du tiers monde dont la démographie demeure exubérante.

Mais l'étape ultérieure à laquelle conduit cette transition n'est pas encore clairement conçue — ni peut-être même clairement concevable — tant elle dément la sagesse que des millénaires de dépendance démographique ont inculquée à l'humanité. Cette étape est celle de la stabilisation délibérée de la population mondiale — ou, plus concrètement, des populations des principales puissances mondiales. Par stabilisation, il faut entendre un état d'équilibre organisé donnant la primauté non plus à la simple confrontation entre la croissance de la population et les disponibilités en ressources, mais bien aux recherches sur le dynamisme des sociétés humaines : dynamisme interne et action écologique. Le nouveau régime démographique qui s'élabore actuellement en Occident représente un pas décisif vers une domination raisonnée de la population et une stabilisation de ses effectifs à long terme.

De ce nouveau régime démographique, trois traits essentiels sont à retenir : l'un est acquis, c'est une relative maîtrise sociale de la morbidité; l'autre est potentiellement acquis et se diffuse très vite, c'est une suffisante maîtrise, pour chaque couple de sa fécondité effective; le troisième, enfin, reste à affirmer : c'est le dosage subtil des incitations sociales de toute nature par lesquelles cette fécondité et cette morbidité contrôlables pourront être combinées pour produire une population stabilisée [1].

A l'égard de ces trois caractéristiques fondamentales du nouveau régime démographique, on ne saurait trop souligner les deux considérations qui vont suivre.

D'une part, ces caractéristiques sont encore inégalement développées. Le contrôle par chaque couple de sa fertilité est sans doute en voie de généralisation, tandis que la capacité de soigner efficacement une population donnée (de maîtriser socialement sa morbidité) dépend à la fois de thérapeutiques en progrès rapides mais à diffusion lente, d'équipements médico-hospitaliers lourds et chers, donc inégalement répandus, et, enfin, du rythme de formation des personnels médical et para-médical nécessaires pour satisfaire cette énorme demande. Reste le système diffus des incitations sociales à procréer (aide aux familles, aux logements, etc.) et des incitations inverses (la crainte du chômage, de la guerre, etc.) Il est évident que ce sont là trois données dont les rythmes propres d'évolution sont indépendants; de leur jeu complexe naît une résultante que les démographes observent : le taux de croissance de population.

Mais, d'autre part, ces trois caractéristiques s'inscrivent aussi en des lieux très différents de l'espace social. La fécondité effective de chaque couple naît, humblement, de sa vie propre. La morbidité de chaque famille, dépend notablement de l'effort social d'équipement sanitaire. La perception par chaque famille des pressions que l'instinct et la société lui font subir en vue de procréer ou non,

1. Population stabilisée à l'échelle mondiale ne veut pas dire population stable en tout pays.

résulte, mystérieusement, du jeu de tout l'organisme social.

Dès lors, une politique démographique qui s'assignerait comme objectif (à très long terme évidemment) telle croissance ou telle stabilisation de la population, a deux niveaux efficaces. Elle peut créer un champ de possibilités, et c'est ce que la diffusion du contrôle des naissances et de l'équipement sanitaire réalisent : par leur effet, la population n'est plus un phénomène aléatoire; le progrès sanitaire avait circonscrit les possibilités dans la zone de la croissance forte; le contrôle des naissances, qui s'y est adjoint dans les pays de plus en plus nombreux, circonscrit désormais les possibilités dans la zone de la croissance faible. A partir de ce champ de possibilités, l'autre problème — combien difficile — est d'essayer de maîtriser progressivement les principaux facteurs sociaux qui déterminent ou influencent les comportements effectifs des couples: c'est à quoi les réflexions démographiques et les politiques plus ou moins natalistes des pays d'Europe occidentale, d'Amérique du Nord et des pays socialistes tendent aujourd'hui avec des résultats sinon très faibles, du moins très faiblement expliqués. Au cœur de ce problème, on rencontre la question majeure de notre espèce : la combinaison d'une démarche libre et spontanée de chaque couple, de chaque famille et d'une démarche délibérée de chaque collectivité, de chaque peuple. Comment faire, en d'autres termes, pour que la somme des familles volontairement formées coïncide assez bien avec l'effectif total de la population souhaitable?

Ou bien cette ambition est pure utopie et la probabilité de quelque catastrophe démographique devient grande. Ou bien, c'est une possibilité et l'atteindre sera un enjeu décisif des prochains siècles.

Nous savons que, par exemple, la stabilisation des effectifs de la population mondiale ne peut, en toute hypothèse, s'opérer qu'à long terme. Cependant multiplier dès maintenant les efforts les plus systématiques pour stabiliser la population mondiale, ce n'est pas se livrer à quelque timide repli malthusien; c'est amorcer un freinage qui ne deviendra pleinement efficace — dans une hypothèse assez optimiste — que dans un siècle et demi et dans un monde quatre ou cinq fois plus peuplé qu'il ne l'est aujourd'hui.

« Croissez et multipliez... » Cette antique sagesse devient déraison mais ce n'est pas l'une des moindres difficultés de l'âge démographique transitoire où nous sommes, que de substituer à ce qui fut jadis sagesse une sagesse nouvelle conduisant à un avenir possible. Cette révision déchirante est en cours dans les familles occidentales. Il reste à l'affermir et à la généraliser et l'on peut être sûr que, pendant quelques décennies au moins, on verra s'opposer, sous mille masques, les tenants des deux sagesses. Déjà, on peut les voir aux prises dans la pensée démographique elle-même.

Contre un tel objectif, les millions d'années qu'ont duré la préhistoire et l'histoire de l'humanité dressent tous leurs barrages : pratiques, doctrines, religions, morales; aucune nation, aucun gouvernement, aucune société ne semblent aujourd'hui prêts à tenir pour souhaitable ce qui est, au mieux, considéré déjà comme raisonnable. En soulignant le droit des parents d'avoir le nombre d'enfants qu'ils veulent, les politiques démographiques se détournent encore du véritable problème de demain qui est d'adjoindre à chaque société humaine le nombre d'enfants dont elle a besoin et seulement celui-là.

Annexe 1

Données démographiques mondiales pour 1975 (pour 160 pays).

DONNÉES DÉMOGRAPHIQUES MONDIALES POUR 1975

Données démographiques pour 160 pays

Régions ou pays	Population au milieu de 1975 (millions)	Naissances par 1 000 habitants	Décès par 1 000 habitants	Taux d'accroissement de la population (% annuel)	Nombre d'années nécessaires pour le doublement de la population	Projections de la population à 2000 (millions)	Mortalité infantile (décès à moins d'1 an par 1 000 naissances d'enfants vivants)	Population de moins de 15 ans (%)	Espérance de vie à la naissance (années)
MONDE	**3 967**	**31,5**	**12,8**	**1,9**	**36**	**6 253**	**98**	**36**	**55**
AFRIQUE	**401**	**46,3**	**19,8**	**2,6**	**27**	**813**	**156**	**44**	**45**
AFRIQUE DU NORD	**98**	**43,3**	**15,2**	**2,7**	**26**	**192**	**126**	**44**	**52**
Algérie	16,8	48,7	15,4	3,2	22	36,7	(128)	48	53
Égypte	37,5	37,8	14,0	2,4	29	64,6	103	41	52
Lybie	2,3	45,0	14,8	3,0	23	4,7	(130)	44	53
Maroc	17,5	46,2	15,7	2,9	24	35,9	149	47	53
Soudan	18,3	47,8	17,5	3,0	23	39,0	(141)	45	49
Tunisie	5,7	40,0	13,8	2,2	32	10,9	(128)	44	54
AFRIQUE OCCIDENTALE	**115**	**48,7**	**23,0**	**2,6**	**27**	**238**	**178**	**45**	**41**
Cap Vert (Iles du)	0,3	32,8	13,7	1,9	36	0,4	91	44	50
Dahomey	3,1	49,9	23,0	2,7	26	5,9	(185)	45	41
Gambie	0,5	43,3	24,1	1,9	36	0,9	(165)	41	40
Ghana	9,9	48,8	21,9	2,7	26	21,2	156	48	44
Guinée	4,4	46,6	22,9	2,4	29	8,5	216	43	41
Guinée-Bissau	0,5	40,1	25,1	1,5	46	0,8	(208)	37	38
Côte d'Ivoire	4,9	45,6	20,6	2,5	28	9,6	(164)	43	44
Libéria	1,7	43,6	20,7	2,3	30	3,2	159	41	44
Mali	5,7	50,1	25,9	2,4	29	11,3	(188)	44	38
Mauritanie	1,3	44,8	24,9	2,0	35	2,3	189	42	38
Niger	4,6	52,2	25,5	2,7	26	9,6	200	46	38
Nigéria	62,9	49,3	22,7	2,7	26	134,9	(180)	45	41
Sénégal	4,4	47,6	23,9	2,4	29	8,2	(159)	43	40
Sierra Léone	3,0	44,7	20,7	2,4	29	5,7	136	43	44
Togo	2,2	50,6	23,5	2,7	26	4,6	(179)	46	41
Haute-Volta	6,0	48,5	25,8	2,3	30	11,0	182	43	38
AFRIQUE ORIENTALE	**114**	**48,1**	**20,7**	**2,7**	**26**	**240**	**160**	**45**	**44**
Burundi	3,8	48,0	24,7	2,3	30	7,3	150	44	39
Comores	0,3	46,6	21,7	2,5	28	0,5	(160)	43	42
Éthiopie	28,0	49,4	25,8	2,4	29	53,7	(181)	44	38
Kenya	13,3	48,7	16,0	3,3	21	31,0	(135)	46	50
Rép. malgache	8,0	50,2	21,1	2,9	24	17,8	(170)	45	44
Malawi	4,9	47,7	23,7	2,4	29	9,5	148	45	41
Maurice (Ile)	0,9	24,4	6,8	1,8	38	1,3	65	37	66
Mozambique	9,2	43,1	20,1	2,3	30	17,6	(165)	43	44
Réunion	0,5	31,2	8,5	2,3	30	0,7	—	43	63
Rhodésie	6,3	47,9	14,4	3,4	20	15,1	122	48	52
Rwanda	4,2	50,0	23,6	2,6	27	8,7	133	44	41
Somalie	3,2	47,2	21,7	2,6	27	6,5	(177)	45	41
Timor	0,7	44,3	23,0	2,1	33	1,1	(184)	42	40
Singapour	2,2	21,2	5,2	1,6	43	3,1	20	33	70
Thaïlande	42,1	43,4	10,8	3,3	21	85,6	(65)	46	58
Nord Viet-nam	23,8	41,4	17,9	2,4	29	43,1	—	41	48
Sud Viet-nam	19,7	41,7	23,6	1,8	38	32,7	—	41	40
EST ASIATIQUE	**1 006**	**26,2**	**9,8**	**1,6**	**43**	**1 369**	**50**	**33**	**62**
Chine (Rép. pop.)	822,8	26,9	10,3	1,7	41	1 126,2	(55)	33	62
Hong Kong	4,2	19,4	5,5	1,4	50	5,6	17	32	70
Japon	111,1	19,2	6,6	1,3	53	132,9	12	24	73
Corée (Rép. dém.)	15,9	35,7	9,4	2,6	27	27,5	—	42	61
Corée (Rép.)	33,9	28,7	8,8	2,0	35	52,0	(60)	37	61
Macao	0,3	(31)	(8)	1,7	41	0,4	(78)	(38)	(58)
Mongolie	1,4	38,8	9,4	3,0	23	2,7	—	44	61
Taïwan	16,0	(24)	(5)	1,9	36	21,8	(28)	(39)	(69)
AMÉRIQUE DU NORD	**237**	**16,5**	**9,3**	**0,9**	**77**	**296**	**18**	**25**	**71**
Canada	22,8	18,6	7,7	1,3	53	31,6	17	27	72
États-Unis	213,9	16,2	9,4	0,9	77	264,4	18	25	71
AMÉRIQUE LATINE	**324**	**36,9**	**9,2**	**2,7**	**26**	**620**	**79**	**42**	**61**
AMÉRIQUE CENTRALE	**79**	**42,2**	**9,4**	**3,2**	**22**	**173**	**66**	**46**	**62**
Costa Rica	2,0	33,4	5,9	2,8	25	3,7	54	42	68
Salvador	4,1	42,2	11,1	3,1	22	8,8	58	46	58
Guatemala	6,1	42,8	13,7	2,9	24	12,4	79	44	53
Honduras	3,0	49,3	14,6	3,5	20	6,9	(115)	47	54
Mexique	59,2	42,0	8,6	3,2	22	132,2	61	46	63
Nicaragua	2,3	48,3	13,9	3,3	21	5,2	(123)	48	53
Panama	1,7	36,2	7,2	2,8	25	3,2	(47)	43	66
CARAÏBES	**27**	**32,8**	**9,2**	**1,9**	**36**	**45**	**69**	**41**	**63**
Bahamas	0,2	23,8	5,7	2,8	25	0,3	33	(44)	—
Barbades	0,2	21,6	8,9	0,5	139	0,3	31	34	69
Cuba	9,5	29,1	6,6	2,0	35	15,3	25	38	70
Rép. dominicaine	5,1	45,8	11,0	3,3	21	11,8	(98)	48	58
Grenade	0,1	27,9	7,8	0,4	173	0,1	34	(47)	(69)
Guadeloupe	0,4	29,3	6,4	1,6	43	0,5	(46)	40	69
Haïti	4,6	35,8	16,5	1,4	50	7,0	(150)	40	50
Jamaïque	2,0	33,2	7,1	1,5	46	2,7	26	46	70
Martinique	0,4	29,7	6,7	1,4	50	0,5	32	41	69
Antilles	0,2	19,7	4,7	1,7	41	0,4	(25)	(38)	(74)
Porto Rico	2,9	22,6	6,8	1,1	63	3,7	27	34	72
Trinidad et Tobago	1,0	25,3	5,9	1,1	63	1,3	(35)	39	70

Tanzanie	15,4	50,2	20,1	3,0	23	34,0	162	47	44
Ouganda	11,4	45,2	15,9	2,9	24	24,2	160	44	50
Zambie	5,0	51,5	20,5	3,1	22	11,6	(157)	48	44
AFRIQUE ÉQUATORIALE	**45**	**44,4**	**21,7**	**2,3**	**30**	**88**	**165**	**43**	**42**
Angola	6,4	47,3	24,5	2,3	30	12,5	(203)	42	38
Cameroun	6,4	40,4	22,0	1,8	38	11,6	137	40	41
Rép. centr. afric.	1,8	43,4	22,5	2,1	33	3,4	190	42	41
Tchad	4,0	44,0	24,0	2,0	35	6,9	160	40	38
Congo (Rép. pop.)	1,3	45,1	20,8	2,4	29	2,7	180	42	44
Guinée équatoriale	0,3	36,8	19,7	1,7	41	0,5	(165)	37	44
Gabon	0,5	32,2	22,2	1,0	69	0,7	229	32	41
Rép. du Zaïre	24,5	45,2	20,5	2,5	28	49,4	(160)	44	44
AFRIQUE DU SUD	**28**	**43,0**	**16,2**	**2,7**	**26**	**56**	**121**	**41**	**51**
Botswana	0,7	45,6	23,0	2,3	30	1,4	(97)	46	44
Lesotho	1,1	39,0	19,7	1,9	36	2,0	181	38	46
Namibie	0,7	45,5	23,2	2,2	32	1,3	(177)	41	41
Rép. Sud afric.	24,7	42,9	15,5	2,7	26	50,0	(117)	41	52
Swaziland	0,5	49,0	21,8	2,7	26	0,9	(149)	46	44
ASIE	**2 255**	**34,9**	**13,6**	**2,1**	**33**	**3 636**	**102**	**38**	**54**
ASIE DU SUD-OUEST	**88**	**42,8**	**14,3**	**2,8**	**25**	**174**	**112**	**43**	**54**
Bahreïn	0,3	49,6	18,7	3,1	22	0,5	(138)	(45)	47
Chypre	0,7	22,2	6,8	1,2	58	0,8	33	30	71
Gaza	0,6	49,6	18,7	3,4	20	1,3	—	(50)	—
Irak	11,1	48,1	14,6	3,4	20	24,4	(99)	47	53
Israël	3,4	26,5	6,7	2,9	24	5,6	21	33	71
Jordanie	2,7	47,6	14,7	3,3	21	5,9	(99)	46	53
Koweït	1,1	47,1	5,3	7,1	10	3,2	44	47	67
Liban	2,9	39,8	9,9	3,0	23	6,1	(59)	43	63
Oman	0,8	49,6	18,7	3,1	22	1,6	(138)	(45)	(47)
Katar	0,1	49,6	18,7	3,1	22	0,2	(138)	(45)	(47)
Arabie Séoudite	9,0	49,5	20,2	2,9	24	18,6	(152)	45	45
Syrie	7,3	45,4	15,4	3,0	23	15,8	(93)	45	54
Turquie	39,9	39,4	12,5	2,5	28	72,6	(119)	42	57
Émirats arabes unis	0,2	49,6	18,7	3,1	22	0,5	(138)	(45)	(47)
Yémen (Rép. arabe)	6,7	49,6	20,6	2,9	24	13,8	(152)	45	45
Yémen (Rép. dém. et pop.)	1,7	49,6	20,6	2,9	24	3,4	(152)	45	45
ASIE MÉRIDIONALE	**838**	**41,7**	**17,0**	**2,4**	**29**	**1 501**	**138**	**43**	**48**
Afghanistan	19,3	49,2	23,8	2,5	28	36,7	(182)	44	40
Bangladesh	73,7	49,5	28,1	1,7	41	144,3	(132)	46	36
Bhoutan	1,2	43,6	20,5	2,3	30	2,1	—	42	44
Inde	613,2	39,9	15,7	2,4	29	1 059,4	139	42	50
Iran	32,9	45,3	15,6	3,0	23	66,6	(139)	46	51
Maldives (Iles)	0,1	(46)	(23)	2,0	35	0,2	—	(44)	—
Népal	12,6	42,9	20,3	2,2	32	23,2	(169)	42	44
Pakistan	70,6	47,4	16,5	3,1	22	146,9	(132)	46	50
Sikkim	0,2	(48)	(29)	2,0	35	0,4	208	(40)	—
Sri Lanka	14,0	28,6	6,4	2,2	32	21,3	45	39	68
SUD-EST ASIATIQUE	**324**	**42,4**	**15,4**	**2,7**	**26**	**592**	**106**	**44**	**51**
Birmanie	31,2	39,5	15,8	2,4	29	54,9	(126)	41	50
Indonésie	136,0	42,9	16,9	2,6	27	237,5	125	44	48
Cambodge	8,1	46,7	19,0	2,8	25	15,8	127	45	45
Laos	3,3	44,6	22,8	2,2	32	5,7	(123)	42	40
Malaisie	12,1	38,7	9,9	2,9	24	22,1	(75)	44	59
Philippines	44,4	43,8	10,5	3,3	21	89,7	(78)	46	58

AMÉRIQUE DU SUD TROP.	**180**	**38,3**	**9,2**	**2,9**	**24**	**351**	**90**	**43**	**60**
Bolivie	5,4	43,7	18,0	2,5	28	10,3	(108)	43	47
Brésil	109,7	37,1	8,8	2,8	25	212,5	(94)	42	61
Colombie	25,9	40,6	8,8	3,2	22	51,5	(76)	46	61
Équateur	7,1	41,8	9,5	3,2	22	14,8	78	46	60
Guyane	0,8	32,4	5,9	2,2	32	1,3	40	44	68
Paraguay	2,6	39,8	8,9	2,8	25	5,3	(84)	45	62
Pérou	15,3	41,0	11,9	2,9	24	30,6	(110)	44	56
Surinam	0,4	41,6	7,5	2,6	27	0,9	30	50	66
Venezuela	12,2	36,1	7,1	2,9	24	23,6	50	44	65
AMÉRIQUE DU SUD TEMP.	**39**	**23,3**	**8,9**	**1,4**	**50**	**52**	**62**	**30**	**66**
Argentine	25,4	21,8	8,8	1,3	53	32,9	60	28	68
Chili	10,3	27,9	9,2	1,8	38	15,4	71	36	63
Uruguay	3,1	20,4	9,3	1,0	69	3,9	40	28	70
EUROPE	**473**	**16,1**	**10,4**	**0,6**	**116**	**540**	**24**	**24**	**71**
EUROPE SEPTENTRIONALE	**82**	**15,8**	**11,2**	**0,4**	**173**	**91**	**16**	**24**	**72**
Danemark	5,0	14,0	10,1	0,4	173	5,4	14	22	74
Finlande	4,7	13,2	9,3	0,2	347	4,7	10	22	70
Islande	0,2	19,3	7,7	1,2	58	0,3	12	29	74
Irlande	3,1	22,1	10,4	1,2	58	4,0	18	30	72
Norvège	4,0	16,7	10,1	0,7	99	4,5	13	24	74
Suède	8,3	14,2	10,5	0,6	116	9,4	10	21	73
Royaume-Uni	56,4	16,1	11,7	0,3	231	62,8	18	24	72
EUROPE OCCIDENTALE	**153**	**14,6**	**11,1**	**0,6**	**116**	**171**	**18**	**23**	**72**
Autriche	7,5	14,7	12,2	0,2	347	8,1	24	24	71
Belgique	9,8	14,8	11,2	0,4	173	10,8	17	23	73
France	52,9	17,0	10,6	0,9	77	62,1	16	24	73
RFA	61,9	12,0	12,1	0,3	231	66,2	20	22	71
Luxembourg	0,3	13,5	11,7	0,2	347	0,4	16	21	71
Pays-Bas	13,6	16,8	8,7	0,8	87	16,0	12	26	74
Suisse	6,5	14,7	10,0	0,8	87	7,4	13	23	72
EUROPE ORIENTALE	**106**	**16,6**	**10,2**	**0,6**	**116**	**122**	**29**	**23**	**70**
Bulgarie	8,8	16,2	9,2	0,7	99	10,0	26	22	72
Tchécoslovaquie	14,8	17,0	11,2	0,6	116	16,8	21	23	69
RDA	17,2	13,9	12,4	0,2	347	18,2	18	22	73
Hongrie	10,5	15,3	11,5	0,4	173	11,1	34	20	70
Pologne	33,8	16,8	8,6	0,8	87	39,8	28	24	70
Roumanie	21,2	19,3	10,3	0,9	77	25,8	40	25	67
EUROPE MÉRIDIONALE	**132**	**17,7**	**9,2**	**0,7**	**99**	**156**	**29**	**26**	**71**
Albanie	2,5	33,4	6,5	2,7	26	4,3	87	41	69
Grèce	8,9	15,4	9,4	0,3	231	9,6	27	23	72
Italie	55,0	16,0	9,8	0,5	139	60,9	26	24	72
Malte	0,3	17,5	9,0	0,2	347	0,3	24	25	71
Portugal	8,8	18,4	10,1	0,3	231	9,9	44	27	68
Espagne	35,4	19,5	8,3	1,0	69	44,9	15	27	72
Yougoslavie	21,3	18,2	9,2	0,9	77	25,7	43	26	68
URSS	**255**	**17,8**	**7,9**	**1,0**	**69**	**315**	**26**	**36**	**70**
OCÉANIE	**21**	**24,8**	**9,3**	**2,0**	**35**	**33**	**50**	**31**	**66**
Australie	13,8	21,0	8,1	1,9	36	20,2	17	28	72
Fidji	0,6	25,0	4,3	2,1	33	0,8	26	38	70
Nouvelle-Zélande	3,0	22,3	8,3	1,4	50	4,3	16	30	72
Papaouasie-Nouvelle Guinée	2,7	40,6	17,1	2,4	29	5,0	(159)	42	48

[Cf. encadré page suivante.]

NOTES SUR LES DONNÉES

Les *World Population Data Sheets* de plusieurs années ne doivent pas être utilisés comme une série chronologique. Dans la mesure où tout est fait pour essayer d'utiliser les informations les plus exactes possible, les sources sont multiples et des changements sensibles dans les nombres et les taux peuvent signifier que l'on a fait appel à des sources plus sûres, à des chiffres révisés ou à des données plus récentes plutôt que rendre compte d'une modification réelle dans l'année. Seuls les chiffres de la population totale au milieu de 1975 de même que ceux du milieu de 1974 que l'on trouve dans le supplément à ces *Data Sheets* peuvent être pris comme une série chronologique.

Les chiffres entre parenthèses proviennent du US Bureau of the Census, *World Population : 1973. Recent Demographic Estimates for the Countries and Regions of the World*, mai 1974. On les a généralement utilisés lorsqu'on n'a pas trouvé de chiffres équivalents aux Nations unies ou dans leurs publications.

En ce qui concerne la population des régions et du monde, les totaux comprennent certaines petites régions qui ne sont pas comptées dans les *Data Sheets*. Ces totaux peuvent également ne pas correspondre à la somme des parties en raison de variation s dans les méthodes d'évaluation. Les taux de mortalité infantile sont le résultat de moyennes.

Les traits signifient que l'on ne dispose pas des données correspondantes.

1. Les *Data Sheets* comprennent tous les pays membres des Nations unies et toutes les entités géopolitiques de plus de 200 000 habitants.

2. Données non publiées de la Division de la population des Nations unies. Ces données proviennent d'un ensemble de variantes moyennes récemment complétées, qui seront publiées dans une série de documents de travail sous le titre général de *World Population Prospects, 1970-2000, As assessed in 1973*. Les taux de naissance et de mortalité, le taux d'accroissement annuel de la population, et l'espérance de vie à la naissance font référence à la moyenne de la période 1970-1975; le pourcentage de la population de moins de quinze ans à celle du milieu de 1975.

3. Sans doute à cause de la baisse récente de la fécondité, les taux courants de natalité de nombreux pays — et en particulier du Canada, des États-Unis, de la Finlande, de la Norvège, du Royaume-Uni, de l'Autriche, de la Belgique, des deux Allemagne, du Luxembourg, des Pays-Bas, de la Suisse, de l'Australie et de la Nouvelle-Zélande — sont sensiblement plus bas que ceux donnés ici pour la moyenne de la période 1970-1975.

4. Les différences entre les valeurs dans cette colonne et celles de l'augmentation naturelle représentent les hypothèses des Nations unies en ce qui concerne l'immigration et l'émigration nettes pour la période 1970-1975. Les pays considérés comme ayant les plus hauts taux d'immigration nette sont le Koweit, Israël, l'Australie, la RFA et la Suisse. Ceux qui ont les plus hauts taux d'émigration nette sont Porto Rico, la Jamaïque, la Martinique, Trinidad et Tobago, et Surinam.

5. En supposant qu'il n'y a aucun changement dans le taux de croissance.

6. Dernière année prise en compte dans le *Population and Vital Statistics Report*, series A, vol. 26, nº 4, des Nations unies, 1974. En raison de la déficience de certains pays en matière d'état civil, nous avons utilisé les taux des Nations unies lorsque les taux relevés étaient manifestement trop bas.

7. Un World Food Conference, *Assessment of the World Food Situation Present and Future*, Rome, Italie, 5-16 novembre 1974.

8. Données de 1971 ou 1972 de l'International Bank for Reconstruction and Development.

9. Les Nations unies n'ont pas de chiffres pour Taïwan. Ils ont été calculés séparément. On prévoit un accroissement de la population pendant les vingt-cinq prochaines années aux mêmes taux qu'en République populaire de Chine. Le taux de mortalité infantile a fait l'objet d'une évaluation par l'International Statistical Programs Center of the Census et paraîtra dans la prochaine publication *World Population 1974. Recent Demographic Estimates for the Countries and Regions of the World.*

10. Les chiffres des Nations unies sont les mêmes que ceux donnés pour la projection de la série E du US Bureau of the Census, « Projections of the United States, by Age and Sex : 1972 to 2020 », *Current Population Reports*, série P-25, nº 493, décembre 1972.

Annexe 2

Bibliographie

Les ouvrages de référence : ce sont en quelque sorte des préalables qui éviteront une grande perte de temps et un gaspillage d'efforts. En ce sens et de premier ordre :

Legear (C.), *Guide de recherches documentaires en démographie*, Gauthier-Villars, Paris, 1966.

Tabah (Léon) et Viet (Jean), *Démographie. Tendances actuelles et organisation de la recherche*, Mouton, Paris, 1966 : excellente biographie, largement et intelligemment commentée.

Elridge (Hope T.), *The materials of demography. A selected and annotated bibliography*. Édité par International Union for the Scientific study of populations, New York, 1959.

Un ouvrage fondamental, qui date et qui comporte une imposante bibliographie : *Causes et Conséquences de l'évolution démographique*. Études démographiques, nº 17, Nations unies, New York, 1953. Nouvelle édition française parue en 1974.

Une source statistique : *Annuaire démographique*, 1973, Nations unies, New York, 1974.

La dernière mise au point mondiale sur les problèmes de la population : *Actes du Congrès mondial de la population, Belgrade 30 août - 10 septembre 1965*, 4 volumes, Nations unies, New York, 1968-1969.

Un dictionnaire : *Dictionnaire démographique multilingue*, volume français, Études démographiques, nº 29, Nations unies, New York, 1958.

La base.

Sauvy (A.), *Théorie générale de la population*, vol. I : *Economie et Croissance*, 3e éd. — Vol. II : *Biologie sociale*, 3e éd., Paris, PUF, 1963 et 1966.

Chevalier (Louis), *Démographie générale*, Paris, Dalloz, 1951.

Landry (Adolphe), *Traité de démographie*, Paris, Payot, 1949.

Beaujeu-Garnier, *Trois milliards d'hommes*, Traité de démographie, Paris, Hachette, 1965.

Les ouvrages et les cours d'Alfred Sauvy, Louis Henry : notamment son cours de 1964 à l'Institut de démographie de l'Université de Paris; et de Roland Pressat.

Hauser (P. M.), Ducan (O. D.), *The study of population : an inventory and appraisal*, Chicago, University of Chicago Press, 1959.

Smith (Lynn T.), *Fondamentals of population study*, New York, J. B. Lippincott, 1960.

Bogue (Donald J.), *Principles of demography*, Londres-New York, Wiley, 1969.

Farmer (Richard), Long (J.), Stelnitz (G.), *World population*, Indiana University, 1968.

Démographie historique.

Ariès (Ph.), *Histoire des populations françaises*, Paris, Éd. du Seuil, coll. « Point-histoire », 1971.

Guillaume (P.) et Poussou (J.-P.), *Démographie historique*, Paris, A. Collin, coll. « U », 1970.

Reinhard (M.), Armengaud (A.), Du Paquier (J.), *Histoire générale de la population mondiale*, Paris, Montchrestien, 3e éd., 1968.

Glass (D. V.) Eversley (D.E.C.), *Population in history*, Londres, E. Arnold, 2e éd., 1969.

Sur les problèmes économiques nous nous limitons à deux sources françaises qui toutes deux comprennent une bibliographie :

Ohlin (G.), *Régulation démographique et Développement économique*, Paris, OCDE, 1967.

Bairoch (Paul) : les deux ouvrages principaux : *Révolution industrielle et Sous-Développement*, Paris, SEDES, 2ᵉ éd., 1964. — *Diagnostic de l'évolution économique du tiers monde*, Paris, Gauthier-Villars, 2ᵉ éd., 1967.

Deux séries de publications essentielles dont les titres « couvrent » les principaux sujets d'étude démographique :

Publications démographiques des Nations unies : la liste peut être consultée au dépôt des publications de l'ONU en France. Librairie Pédone, 13, rue Soufflot, Paris 5ᵉ.

Les cahiers de *Travaux et Documents*, publiés par l'INED et diffusés par les Presses universitaires de France, 108, bd Saint-Germain, Paris 6ᵉ.

Trois revues consacrées à la démographie :

FRANCE : *Population*, revue trimestrielle de l'INED depuis 1946. Cette très importante publication comporte dans chaque numéro une chronique bibliographique complète.
Population et Sociétés, bulletin mensuel également publié par l'INED.

ÉTATS-UNIS : *Population Index*, publié par l'Office of population research. Princeton University, New Jersey; depuis 1937 : trimestriel. (Fondamental au point de vue bibliographique. Cette revue analyse ou cite tous les documents démographiques.)

GRANDE-BRETAGNE : *Population Studies*, London School of Economics; depuis 1947 : trimestriel.

Quelques adresses et renseignements utiles.

UNESCO, « Répertoire international d'institutions qui s'occupent d'étude de population », *Rapports et Documents de sciences sociales*, nº 11, Paris, 1969.

The University teaching of social sciences : demography, edited by D.V. Glass, Paris, 1957.

L'Institut national d'études démographiques (INED), 27, rue du Commandeur, Paris 14ᵉ. Tél. : 336-44-45. Fondé en 1945, dispose d'une bibliothèque remarquable d'accès facile, centrée sur les questions de population.

Institut de démographie de Paris, 2, rue Cujas, Paris 5ᵉ. L'association des anciens élèves est fort active.

Plusieurs instituts universitaires et centres inter-facultés de démographie ont été créés en province : Bordeaux, 1951. Nancy, 1954. Lyon, 1954. Caen, 1954. Toulouse, 1959. Strasbourg, 1960. Institut d'études et d'action démographique des régions Nord et Picardie, 1948.

Plusieurs enseignements de démographie existent en lettres ou en sciences, cf. *Population*, n° 3, 1968.

A L'ETRANGER :

Grande-Bretagne : The Population Investigation Committee, 15 Houghton Street Zldwyck, Londres WC 2.

États-Unis : Office of Population Research, 5 Ivy Lane, Princeton, New Jersey.

Nations unies : Division de la population, direction des Affaires sociales, New York.

Table

Collection Points

1. Histoire du surréalisme, *par Maurice Nadeau.*
2. Une théorie scientifique de la culture, *par Bronislaw Malinowski.*
3. Malraux, Camus, Sartre, Bernanos, *par Emmanuel Mounier.*
4. L'Homme unidimensionnel, *par Herbert Marcuse.*
5. Écrits I, *par Jacques Lacan.*
6. Le Phénomène humain, *par Pierre Teilhard de Chardin.*
7. Les Cols blancs, *par C. Wright Mills.*
8. Stendhal, Flaubert, *par Jean-Pierre Richard.*
9. La Nature dé-naturée, *par Jean Dorst.*
10. Mythologies, *par Roland Barthes.*
11. Le Nouveau Théâtre américain, *par Franck Jotterand.*
12. Morphologie du conte, *par Vladimir Propp.*
13. L'Action sociale, *par Guy Rocher.*
14. L'Organisation sociale, *par Guy Rocher.*
15. Le Changement social, *par Guy Rocher.*
16. Les Étapes de la croissance économique, *par W. W. Rostow.*
17. Essais de linguistique générale, *par Roman Jakobson.*
18. La Philosophie critique de l'histoire, *par Raymond Aron.*
19. Essais de sociologie, *par Marcel Mauss.*
20. La Part maudite, *par Georges Bataille.*
21. Écrits II, *par Jacques Lacan.*
22. Éros et civilisation, *par Herbert Marcuse.*
23. Histoire du roman français depuis 1918, *par Claude-Edmonde Magny.*
24. L'Écriture et l'Expérience des limites, *par Philippe Sollers.*
25. La Charte d'Athènes, *par Le Corbusier.*
26. Peau noire, Masques blancs, *par Frantz Fanon.*
27. Anthropologie, *par Edward Sapir.*
28. Le Phénomène bureaucratique, *par Michel Crozier.*
29. Vers une civilisation du loisir?, *par Joffre Dumazedier.*
30. Pour une bibliothèque scientifique, *par François Russo.*
31. Lecture de Brecht, *par Bernard Dort.*
32. Ville et Révolution, *par Anatole Kopp.*
33. Mise en scène de Phèdre, *par Jean-Louis Barrault.*
34. Les Stars, *par Edgar Morin.*
35. Le Degré zéro de l'écriture *suivi de* Nouveaux Essais critiques, *par Roland Barthes.*
36. Libérer l'avenir, *par Ivan Illich.*
37. Structure et Fonction dans la société primitive, *par A. R. Radcliffe-Brown.*
38. Les Droits de l'écrivain, *par Alexandre Soljénitsyne.*
39. Le Retour du tragique, *par Jean-Marie Domenach.*
40. Keynes, *par Michael Stewart.*
41. La Concurrence capitaliste, *par Jean Cartell et P.-Y. Cossé.*

42. Mise en scène d'Othello, *par Constantin Stanislavski.*
43. Le Hasard et la Nécessité, *par Jacques Monod.*
44. Le Structuralisme en linguistique, *par Oswald Ducrot.*
45. Le Structuralisme : Poétique, *par Tzvetan Todorov.*
46. Le Structuralisme en anthropologie, *par Dan Sperber.*
47. Le Structuralisme en psychanalyse, *par Moustafa Safouan.*
48. Le Structuralisme : Philosophie, *par François Wahl.*
49. Le Cas Dominique, *par Françoise Dolto.*
50. Comprendre l'économie, *par Éliane Mossé.*
51. Trois essais sur le comportement animal et humain, *par Konrad Lorenz.*
52. Le Droit à la ville, *suivi de* Espace et Politique, *par Henri Lefebvre.*
53. Poèmes, *par Léopold Sedar Senghor.*
54. Les Élégies de Duino, les Sonnets à Orphée, *par Rainer Maria Rilke.*
55. Pour la sociologie, *par Alain Touraine.*
56. Traité du caractère, *par Emmanuel Mounier.*
57. L'Enfant, sa « maladie » et les autres, *par Maud Mannoni.*
58. Langage et Connaissance, *par Alain Schaff.*
59. Une saison au Congo, *par Aimé Césaire.*
60. Une tempête, *par Aimé Césaire.*
61. Psychanalyser, *par Serge Leclaire.*
62. Le Budget de l'État, *par Jean Rivoli.*
63. Mort de la famille, *par David Cooper.*
64. A quoi sert la Bourse, *par Jean-Claude Leconte.*
65. La Convivialité, *par Ivan Illich.*
66. L'Idéologie structuraliste, *par Henri Lefebvre.*
67. La Vérité des prix, *par Hubert Lévy-Lambert.*
68. Pour Gramsci, *par Maria-Antonietta Macciocchi.*
69. Psychanalyse et Pédiatrie, *par Françoise Dolto.*
70. S/Z, *par Roland Barthes.*
71. Poésie et Profondeur, *par Jean-Pierre Richard.*
72. Le Sauvage et l'Ordinateur, *par Jean-Marie Domenach.*
73. Introduction à la littérature fantastique, *par Tzvetan Todorov.*

Collection Points

SÉRIE SCIENCE

dirigée par J.-B. Grasset.

S1. La Recherche en biologie moléculaire, *ouvrage collectif.*
S2. Des astres, de la vie et des hommes, *par Robert Jastrow.*

S3. Autocritique de la science,
par Alain Jaubert et Jean-Marc Lévy-Leblond.
S4. L'Électronucléaire en France,
par le syndicat CFDT de l'Énergie atomique.
S5. Une révolution dans les sciences de la terre, *par A. Hallam.*

Collection Points

SÉRIE ACTUEL

A1. Lettres de prison, *par Gabrielle Russier.*
A2. J'étais un drogué, *par Guy Champagne.*
A3. Les Dossiers noirs de la police française, *par Denis Langlois.*
A4. Do It, *par Jerry Rubin.*
A5. Les Industriels de la fraude fiscale, *par Jean Cosson.*
A6. Entretiens avec Allende, *par Régis Debray.*
A7. De la Chine, *par Maria-Antonietta Macciocchi.*
A8. Après la drogue, *par Guy Champagne.*
A9. Les Grandes Manœuvres de l'opium,
par Catherine Lamour et Michel Lamberti.
A10. Les Dossiers noirs de la justice française, *par Denis Langlois.*
A11. Le Dossier confidentiel de l'Euthanasie
par Igor Barrère et Étienne Lalou.
A12. Discours américains, *par Alexandre Soljénitsyne.*
A13. Les Exclus, *par René Lenoir.*

Collection Points

SÉRIE ÉCONOMIE

dirigée par Edmond Blanc.

E1. L'Or jaune et l'Or noir, *par Jean Carrière.*
E2. Les Travailleurs face au capitalisme, *par Culture et Liberté.*

IMP. BUSSIÈRE A SAINT-AMAND.
D. L. 2e TRIM. 1976. N° 4397 (2057).